Dylunio a Thechno
Meistrgopïau
Cyfnod Allweddol 2

Kate Bennington

Addasiad Cymraeg gan Eirlys Roberts

CANOLFAN ASTUDIAETHAU ADDYSG · ABERYSTWYTH · CAA

CYDNABYDDIAETHAU

Diolchir i John Lloyd, Ywain Myfyr, Siân Owen am eu sylwadau a'u cefnogaeth.

Cysodwyd y fersiwn Cymraeg gan Richard Huw Pritchard
Argraffwyd gan Wasg Y Lolfa

CYNNWYS

Mecanweithiau 'neidio-i-fyny'

Gwnewch ddau o'r mecanweithiau syml hyn.

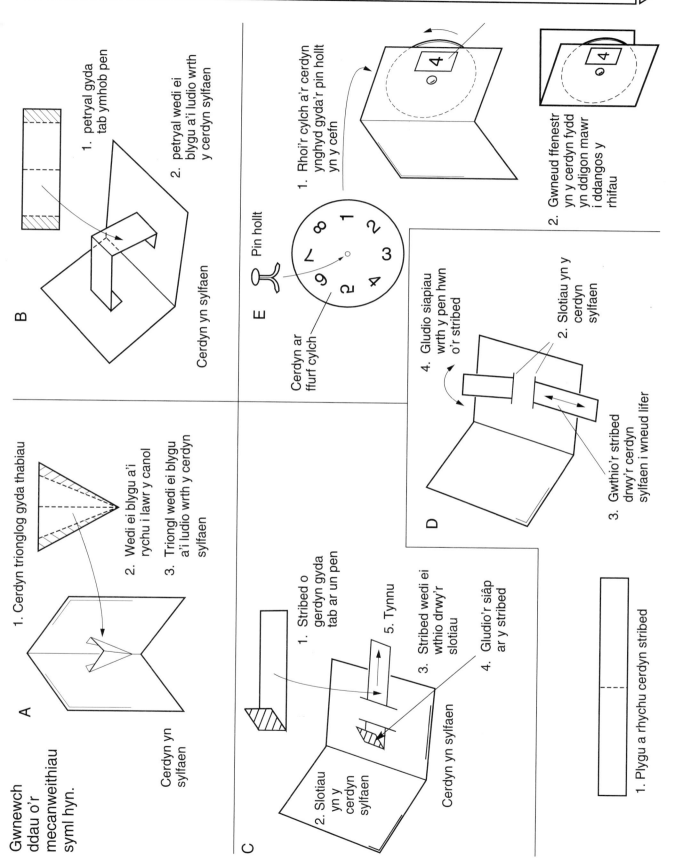

A

1. Cerdyn trionglog gyda thabiau
2. Wedi ei blygu a'i rychu i lawr y canol
3. Triongl wedi ei blygu a'i ludio wrth y cerdyn sylfaen

Cerdyn yn sylfaen

B

1. petryal gyda tab ymhob pen
2. petryal wedi ei blygu a'i ludio wrth y cerdyn sylfaen

Cerdyn yn sylfaen

C

1. Stribed o gerdyn gyda tab ar un pen
2. Slotiau yn y cerdyn sylfaen
3. Stribed wedi ei wthio drwy'r slotiau
4. Gludio'r siâp ar y stribed
5. Tynnu

Cerdyn yn sylfaen

D

1. Plygu a rhychu cerdyn stribed
2. Slotiau yn y cerdyn sylfaen
3. Gwthio'r stribed drwy'r cerdyn sylfaen i wneud lifer
4. Gludio siapiau wrth y pen hwn o'r stribed

E

Pin hollt

Cerdyn ar ffurf cylch

1. Rhoi'r cylch a'r cerdyn ynghyd gyda'r pin hollt yn y cefn
2. Gwneud ffenestr yn y cerdyn fydd yn ddigon mawr i ddangos y rhifau

Gwneud amlenni ▷

Dewiswch y cynllun rydych chi'n ei hoffi orau (Cynllun 1 neu 2)
Dillynwch y cyfarwyddiadau i wneud amlen ar gyfer un o'ch cardiau.

Cynllun 1

1. Gosodwch eich cerdyn ar ddarn o bapur plaen a thynnu llinell o'i amgylch

2. Ychwanegwch 1cm o amgylch y cyfan

3. Mesurwch a llunio'r llinellau canol (x ac y) ar eich petryal neu sgwâr, fel yn y llun.

4. Ychwanegwch driongl ar bob ochr i'r siâp, fel yn y llun.

5. Torrwch allan a phlygu ar hyd y llinellau bylchog sydd yn y llun.

6. Gludiwch bob fflap ond A. (Byddwch eisiau rhoi eich cerdyn i mewn yn yr amlen.)

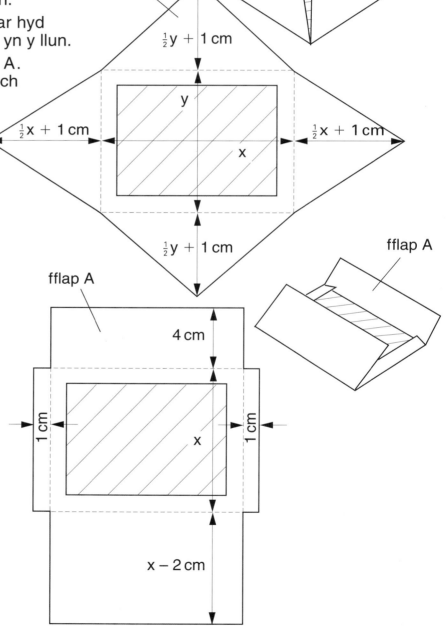

Cynllun 2

1. Rhowch eich cerdyn ar ddarn o bapur plaen a thynnu llinell o'i amgylch.

2. Ychwanegwch 1 cm. o amgylch y cyfan

3. Mesurwch uchter eich petryal/sgwâr (x).

4. Ychwanegwch y petryalau eraill, fel yn y llun.

5. Torrwch allan a phlygu ar hyd y llinellau bylchog sydd yn y llun.

6. Gludiwch bob fflap ond A. (Byddwch eisiau rhoi eich cerdyn i mewn yn yr amlen.)

Meistrgopi 2

Syniadau ar gyfer cardiau neidio-i-fyny

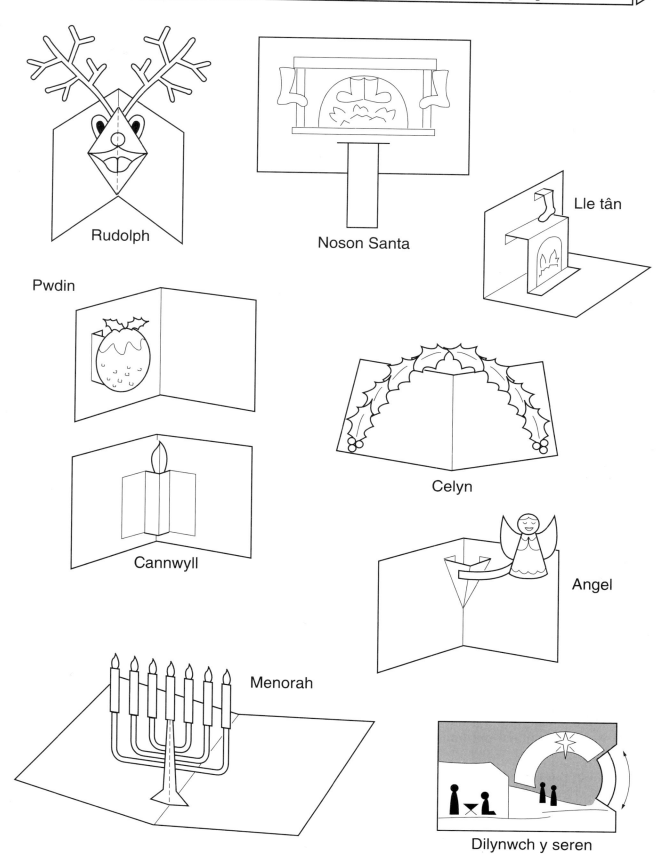

Rudolph

Noson Santa

Lle tân

Pwdin

Celyn

Cannwyll

Angel

Menorah

Dilynwch y seren

Meistrgopi 3

Clociau drwy'r canrifoedd ▷

Darllenwch y darn hwn sy'n sôn am glociau.

Nawr mae clociau ym mhob man – ar adeiladau, mewn swyddfeydd, mewn ceir ac ar ein garddyrnau hyd yn oed. Ond does neb yn siŵr pwy ddyfeisiodd y cloc cyntaf. Rydyn ni'n gwybod bod pobl yr hen fyd gwareiddiedig yn defnyddio dyfais a gâi ei galw yn gloc dŵr i ddweud yr amser. (Penderfynent faint o'r gloch oedd hi drwy fesur faint o ddŵr oedd wedi diferu o gynhwysydd.) Roedden nhw hefyd yn defnyddio clociau haul, ond roedd hi'n anodd iawn cael darlleniad cywir gyda'r rhain.

Gan mai dim ond ychydig o bobl oedd yn gallu defnyddio'r offer hyn, dyfeisiodd trefi a phentrefi eu dulliau eu hunain o ddweud yr amser. Er enghraifft, roedden nhw'n canu clychau i ddweud wrth bobl ei bod hi'n amser cinio neu os oedd cyfarfod ar fin cychwyn. Yn aml doedd y clychau ddim yn canu ar yr union amser cywir ond o leiaf roedd pawb yn derbyn y neges!

Ni chafwyd clociau mecanyddol hyd y Canol Oesoedd. Rydyn ni'n meddwl mai mynachod a ddyfeisiodd y rhain. Cyn hynny, roedd yn rhaid canu'r clychau yng nghapeli'r mynachlogydd sawl gwaith yn ystod y dydd a'r nos i ddweud wrth y mynachod i gyd ei bod hi'n amser gweddi. Mae'n debyg fod y cloc wedi ei ddatblygu er mwyn gwneud y dasg o ganu'r clychau yn awtomatig. Gwelwyd y cloc mecanyddol cyntaf ym Mhrydain yn Eglwys Gadeiriol Norwich yn 1325. Buont wrthi am tua 30 mlynedd yn adeiladu cloc tebyg yn St Albans.

Erbyn 1550, roedd watsys yn gweithio â sbring yn ddigon bach i'w cario, ond doedden nhw ddim yn fanwl gywir. Gan fod diwydiant ar gynnydd a theithio gyda'r goets yn dod yn gyffredin roedd angen cadw at amserlen fanwl. Golygai hyn fod galw am watsys dibynadwy, cywir a gwelwyd llawer o siopau gwerthu clociau a watsys yn Ewrop.

Nawr atebwch y cwestiynau hyn mewn brawddegau:

1. Sut roedd pobl yr hen fyd gwareiddiedig yn dweud yr amser?
2. Sut roedd cymunedau yn gwybod faint o'r gloch oedd hi?
3. Pwy maen nhw'n gredu ddyfeisiodd y clociau mecanyddol?
4. Pam roedd ar y mynachod eisiau gwybod faint o'r gloch oedd hi mor aml?
5. Ble roedd y cloc mecanyddol cyntaf ym Mhrydain?
6. Faint o flynyddoedd gymerwyd i adeiladu cloc St Albans?
7. Beth oedd o'i le ar watsys llai yn yr 1550au?
8. Pam roedd yn rhaid i glociau fod yn fwy manwl gywir?

Project cloc

Dyluniwch a gwnewch gloc forex ar gyfer ystafell yn eich cartref.

Dyma rai syniadau am wahanol siapiau ar gyfer wyneb eich cloc.

Cyn i chi ddechrau cynllunio eich cloc, dylech ystyried:

Beth ydy cloc? Pam rydyn ni'n ei ddefnyddio?

Oes raid i gloc gael wyneb crwn? Pa siâp arall sy'n bosibl?

Oes raid i'r bysedd fod yn y canol ar wyneb y cloc?

Pa fath ar rifau ydych chi'n eu gweld ar wynebau clociau?

Oes rhifau ar bob wyneb cloc?

Sut rydych chi'n mynd i addurno wyneb eich cloc?

Lluniad taenedig o fecanwaith cloc

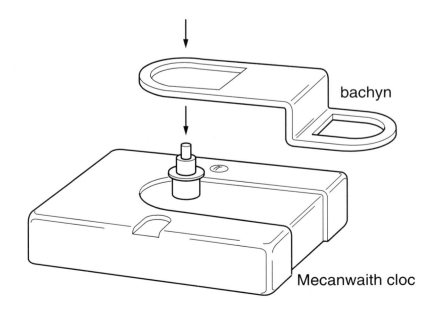

bachyn

Mecanwaith cloc

Tai a Chartrefi

Cysylltwch bob enw gyda'r llun cywir. Mae'r cyntaf wedi ei wneud yn barod.

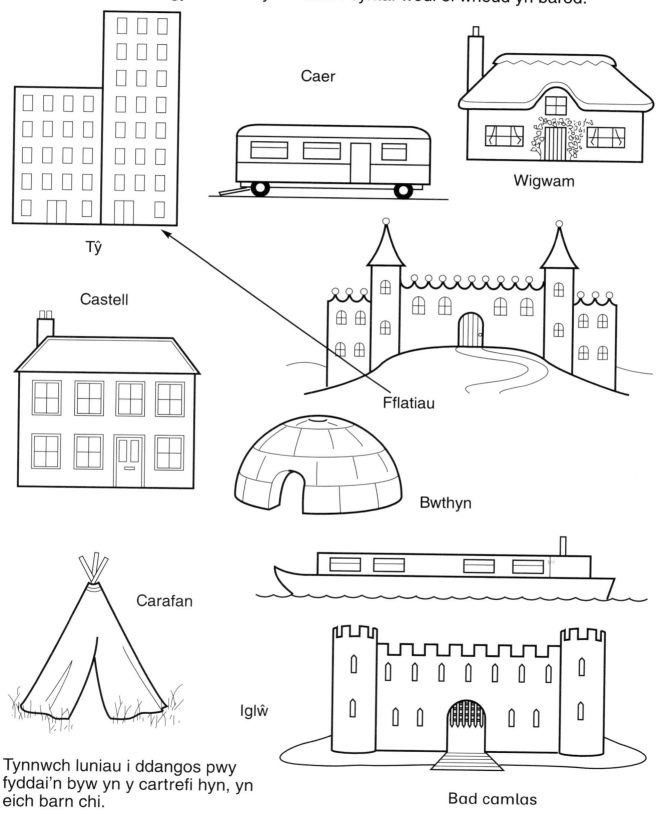

Caer

Wigwam

Tŷ

Castell

Fflatiau

Bwthyn

Carafan

Iglŵ

Bad camlas

Tynnwch luniau i ddangos pwy fyddai'n byw yn y cartrefi hyn, yn eich barn chi.

Meistrgopi 7

Cragen a fframwaith

Sut mae'r pethau hyn yn cadw eu siâp? Oes gan bob un gragen neu ffrâm?

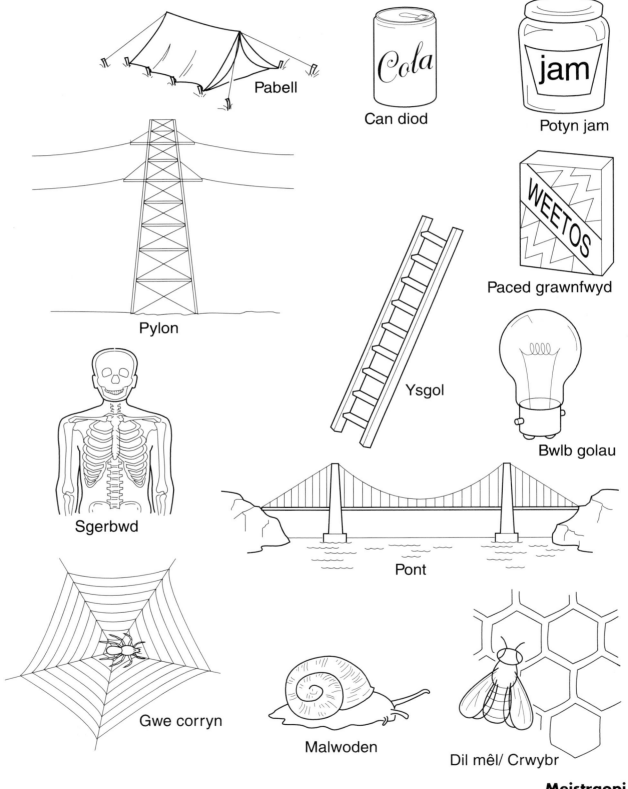

Pabell

Can diod

Potyn jam

Pylon

Paced grawnfwyd

Ysgol

Bwlb golau

Sgerbwd

Pont

Gwe corryn

Malwoden

Dil mêl/ Crwybr

Tŵr papur

Dyluniwch a gwnewch dŵr papur fydd yn dal pêl ping-pong mor uchel ag sydd modd o'r llawr am 30 eiliad. (Gallwch ddefnyddio un papur newydd yn unig i adeiladu eich tŵr.)

Darllenwch y daflen hon cyn dechrau dylunio eich tŵr. Mae yma rai awgrymiadau i'ch helpu.

Dylunio
Sut siâp fydd i'ch tŵr?

Sut bydd y bêl Ping-Pong ® yn cael ei dal yn ei lle?
(Cofiwch wneud lluniad o'ch tŵr cyn dechrau ei adeiladu.)

Gwneud
Pa siapiau cryf allech chi eu cynnwys yn adeiledd eich tŵr?
Ydych chi'n mynd i roi rholiau o bapur newydd at ei gilydd?
Sut y byddwch chi'n defnyddio'r tâp masgio?

Gwerthuso
Ydy'r tŵr mor uchel ag y gallwch chi ei wneud?
Ydy'r tŵr yn sefyll i fyny ar ei ben ei hun?
Allech chi fod wedi ei wneud yn gryfach?
Ydy'r bêl yn aros yn ei lle yn ddigon hir?
Allech chi wneud y bêl yn fwy diogel?
Allwch chi wella golwg eich tŵr?

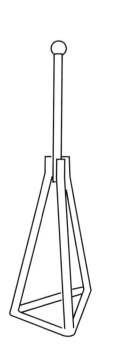
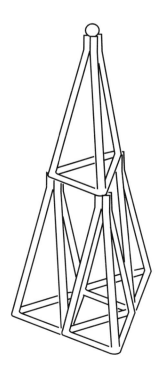
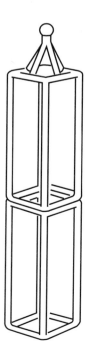

Enw _____

Fry uwchben ▷

Llenwch y bylchau yn y darn hwn gan ddefnyddio'r geiriau sydd yn y blwch ar waelod y dudalen.

Mae toeau yn cadw'r tywydd allan o'n cartrefi. Maen nhw'n ein cadw ni'n gynnes yn y ————— ac yn cadw'r gwres allan yn yr haf.

Mae sawl gwahanol fath ar ————— toi. Dyma rai ohonyn nhw.

Cawn

Mae to cawn wedi ei wneud o ————— ac yn cael ei hoelio a'i wnïo at ei gilydd. Ambell waith mae towyr yn ei dorri i wneud patrymau. Nid yw gwellt yn cael ei ddefnyddio'n aml yng ngwledydd Prydain achos mae'n rhy —————. Hefyd, mae'n rhaid ei ————— yn aml a rhaid rhoi rhwyd dros y ————— i rwystro'r adar rhag ————— ynddo.

Teils

Mae teils wedi eu gwneud o —————. Gallwn gael amrywiaeth yn eu lliw, eu siâp a'u maint. Mae'r ————— yn wahanol i'r un sy'n cael ei ddefnyddio i wneud brics ond mae'n cael ei ————— mewn dull tebyg. Mae teils yn cael eu defnyddio yn aml yng ngwledydd ————— ac y maen nhw wedi eu ————— er mwyn i'r glaw redeg i lawr oddi arnyn nhw.

Llechi

Mae rhai toeau wedi eu gwneud o fath o ————— sy'n cael ei galw yn llechen ac sy'n cael ei chloddio o'r —————. Mae llawer o ————— tenau mewn llechen. Caiff yr haenau eu torri yn ddarnau llai a'u ————— ar y to. Caiff y llechi eu ————— er mwyn i'r glaw redeg i lawr i'r ddaear.

Ffelt

Ceir ambell do gwastad sy'n cael ei orchuddio gyda haenau o ffelt ————. Ambell waith mae ————— yn crynhoi ar y to fflat ac felly mae'n rhaid edrych ar y ————— yn aml a'i drwsio.

gaeaf	daear	gwellt	nythu	trwsio
gwellt	clai	math	Prydain	pyllau
sianelu	carreg	defnyddiau	haenau	drud
hoelio	diddos	crasu	ffelt	gorymylu

Sam y Morwr

Darllenwch y stori hon.

Morwr oedd Sam,
ar y dyfroedd yn hwylio,
Yn ddigon bodlon ei fyd
ar wynt, corwynt neu awel.

Un dydd pan hwyliai yng nghanol y
cefnfor,
dacw'r storm yn crynhoi,
A Sam yn gweiddi, "Ahoi,
mae'r hen long yn gwegian."

Yr hen long druan, yn rholio a suddo.
Y morwyr yn cydio
Yn dynn yn y rhaffau,
a dyfrllyd fedd yn eu haros.

Un lwcus oedd Sam.
Fe nofiodd y tonnau
a glanio ar ynys a honno'n ddiffeithwch.

Gwnaeth loches o frigau a dail a rhisgl
a chynnau tân, ni hoffai'r tywyllwch!

Mae'n unig drwy'r amser
er iddo wneud cartref,
A'r neges yn y botel yw
"Hoffwn fynd adref."

Addasiad o gerdd Sue Dillon

Nawr eich tasg chi ydy cynllunio
lloches i Sam y Morwr.

Atebwch y cwestiynau hyn. Dylai'r
atebion eich helpu i ddylunio
lloches dda.

1. Pa mor fawr sy'n rhaid i'r
   lloches fod?
2. Sut y gallwch chi ei gwneud
   yn gryf?
3. Pa siapiau fyddwch chi'n eu
   defnyddio i'w gwneud?
4. Pa ddefnyddiau fyddai Sam
   yn dod o hyd iddynt yn y
   diffeithwch?
5. Pa ddefnyddiau allech chi eu
   defnyddio i wneud lloches?
6. Sut y byddai Sam yn gallu
   clymu ei loches at ei gilydd?
7. Beth fyddech chi yn ei
   ddefnyddio i wneud hynny?
8. Sut y bydd Sam yn mynd i
   mewn i'w loches ac allan
   ohoni?
9. Sut y gellid ei gwneud yn
   gynnes i fyw ynddi?
10. Beth fydd yn digwydd os bydd
    hi'n bwrw glaw? Sut y gallech
    chi wneud y lloches yn
    ddiddos?

Meistrgopi 11

Map o Ynys Sam

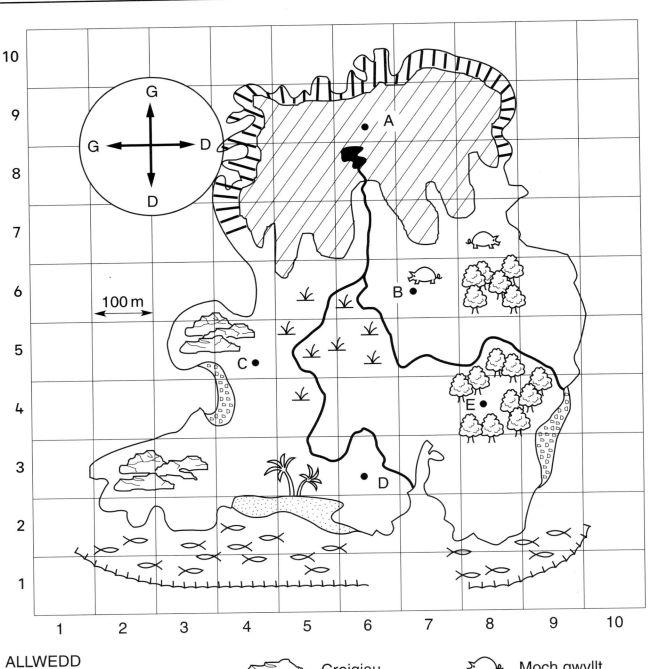

ALLWEDD

 Bryniau

 Cerrig

 Tywod

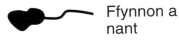 Ffynnon a nant

 Creigiau

 Creigres gwrel

 Pysgod

 Cors

 Moch gwyllt

 Palmwydd cnau coco

 Coedwig

Clogwyni

Meistrgopi 12

Ynys Sam

Mae Sam wedi glanio ar ynys ddiffaith wedi'r llongddrylliad. Edrychwch ar y map o'r ynys ac atebwch y cwestiynau hyn.

1. I ble dylai Sam fynd er mwyn gallu gweld yr ynys i gyd?

2. Beth ydy lled yr ynys o'r gorllewin i'r dwyrain?

3. Edrychwch ar y cwmpawd. Gan ddechrau yn A, i ba gyfeiriad y byddai Sam yn mynd i:
    a) gyrraedd y clogwyni
    b) ddod o hyd i draeth bychan tywodlyd
    c) weld y greigres gwrel?

4. Beth fyddai Sam yn ei weld pe bai'n mynd i:
    a) (8,6)
    b) (3.3)
    c) (6,5)?
    (*Cofiwch gyfrif ar draws ac yna ar i fyny!*)

5. Ym mha sgwâr byddech chi'n dod o hyd i'r rhain:
    a) moch gwyllt
    b) y ffynnon
    c) palmwydd cnau coco?

6. Pe byddai Sam yn adeiladu rafft, ble fyddai'n lle da i'w chadw rhag y gwynt?

7. Mae ar Sam angen tri pheth i fedru byw ar yr ynys: bwyd, dŵr a chysgod. Sut y gallai gael:
    a) bwyd
    b) dŵr i'w yfed
    c) cysgod neu loches?

8. Ble dylai Sam adeiladu ei loches, yn eich barn chi? – yn A, B, C, D neu E?

9. Eglurwch eich dewis.

Pontydd 1

Ysgrifennwch enwau'r pontydd o dan
y lluniau cywir.

pont ar gantilifrau
traphont ddŵr
pont raff
bwa dur
pont gerrig clo
pont grog

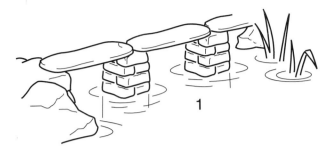

1

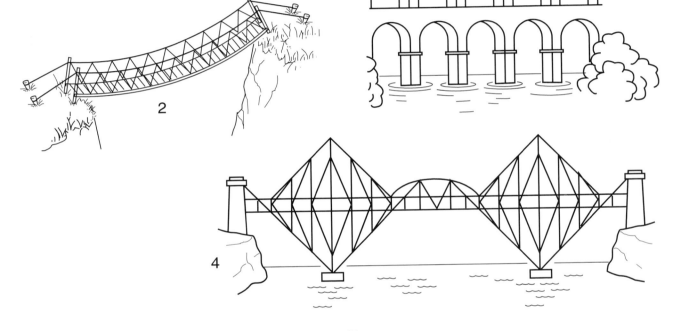

2

3

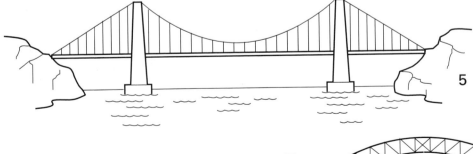

4

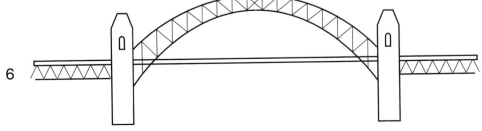

5

6

Pontydd 2

Tynnwch lun saethau ar y pontydd i ddangos y grymoedd sy'n effeithio arnyn nhw.

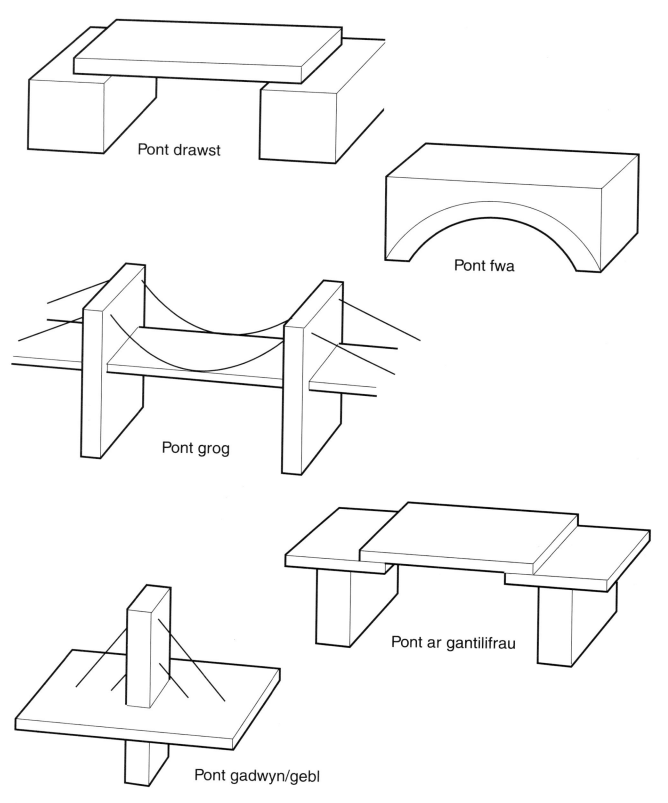

Pont drawst

Pont fwa

Pont grog

Pont ar gantilifrau

Pont gadwyn/gebl

Newyddion Tref Benning

13 Mai

Datblygu'r Pant

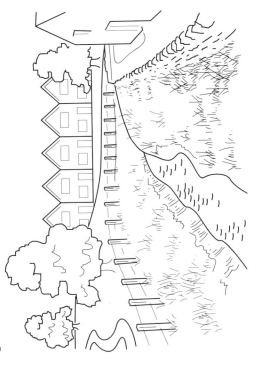

Roedd cynllun i adeiladu maes parcio ar gyfer 1000 o geir ar safle ar y Ffordd Isaf dan fygythiad neithiwr wedi i'r Cyngor Dosbarth gynnal cyfarfod agored.

Dros y pum mlynedd diwethaf cafodd y safle, sy'n cael ei alw yn lleol 'Y Pant', ei ddefnyddio fel cae chwarae tra roedd y cyngor yn ceisio penderfynu beth i'w wneud â'r tir. Roedd pobl leol yn flin pan gawson nhw wybod bod cynlluniau ar gyfer datblygu maes parcio yno. Neithiwr cyflwynwyd deiseb i'r cyngor yn gwrthwynebu'r datblygiad. Mae'r bobl yn pwyso ar y cyngor i gadw'r safle ar gyfer cae chwarae gyda lle chwarae wedi ei gynllunio yn bwrpasol a chae pêl-droed. Eglurodd mam leol, Dee Taylor, "Mae ar ein plant angen rhywle diogel i chwarae ac y mae meddwl am fwy a mwy o geir o'n cwmpas yn codi ofn arna i." Ar ôl gwrando ar farn pobl leol mae aelodau'r Cyngor wedi pleidleisio i ail-feddwl am eu cynlluniau.

Offer Cae Chwarae

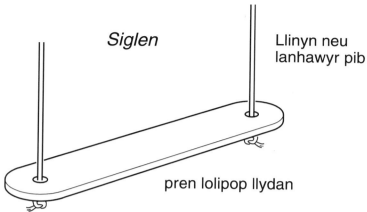

Siglen

Llinyn neu
lanhawyr pib

pren lolipop llydan

Tyllau wedi eu gwneud
gyda gefelen lygaden

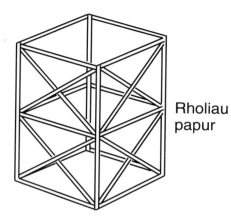

Rholiau
papur

Tŵr dringo

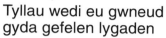

Twnel

Wedi ei wneud gyda
thiwbiau cardfwrdd

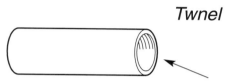

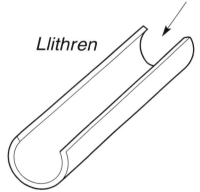

Llithren

Rholyn papur neu bren

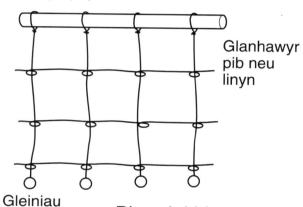

Glanhawyr
pib neu
linyn

Gleiniau

Rhwyd ddringo

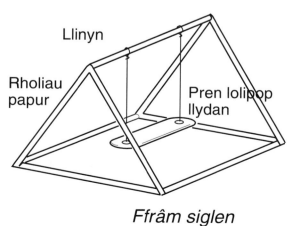

Llinyn

Rholiau
papur

Pren lolipop
llydan

Ffrâm siglen

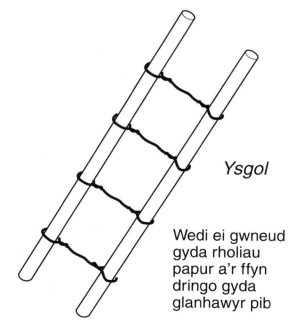

Ysgol

Wedi ei gwneud
gyda rholiau
papur a'r ffyn
dringo gyda
glanhawyr pib

Meistrgopi 17

Disgrifio rhywbeth wedi ei wneud o glai ▷

Tynnwch lun o rywbeth sydd wedi ei wneud o glai. _____

Pa liw oedd y clai gafodd ei ddefnyddio i'w wneud? _____

A gafodd ei danio? _____

A gafodd ei wydro? _____

Pa liwiau oedd wedi eu defnyddio i'w wydro? _____

Ydy e'n sgleinio neu'n bwl? _____

Oes dolen arno? _____

Os felly, sut mae'r ddolen wedi ei rhoi yn sownd? _____

Beth ydy pwrpas y peth hwn? _____

Ble gellid dod o hyd iddo? _____

Addurniadau Nadolig

Dyluniwch a gwnewch set o dri addurn Nadolig tebyg o ran siâp i'w hongian ar goeden Nadolig.

Defnyddiwch y ddalen hon i'ch helpu i ddylunio eich addurniadau.

1. Tanlinellwch bedwar gair allweddol yn y dasg uchod sy'n dangos beth sy'n bwysig i chi ei gofio wrth ddylunio.

2. Nawr, atebwch y cwestiynau hyn.

   Pa ddefnydd ydych chi'n mynd i'w ddefnyddio i wneud yr addurniadau?

   Pa mor fawr fyddan nhw?

   Faint ohonyn nhw ddylech chi ei wneud?

   Pa siapiau allech chi eu defnyddio?

   Sut rydych chi'n mynd i wneud tri addurn fydd yr un siâp?

   Sut y byddan nhw'n hongian o'r goeden?

   Pa liw fyddan nhw?

   Oes raid iddyn nhw i gyd fod yr un lliw?

Enw _____

Ffeil o ffeithiau am ddefnyddiau

Cwblhewch y ffeil o ffeithiau hon am eich darn chi o ddefnydd.

Lliw/Lliwiau: _____

_____

Patrwm: _____

_____

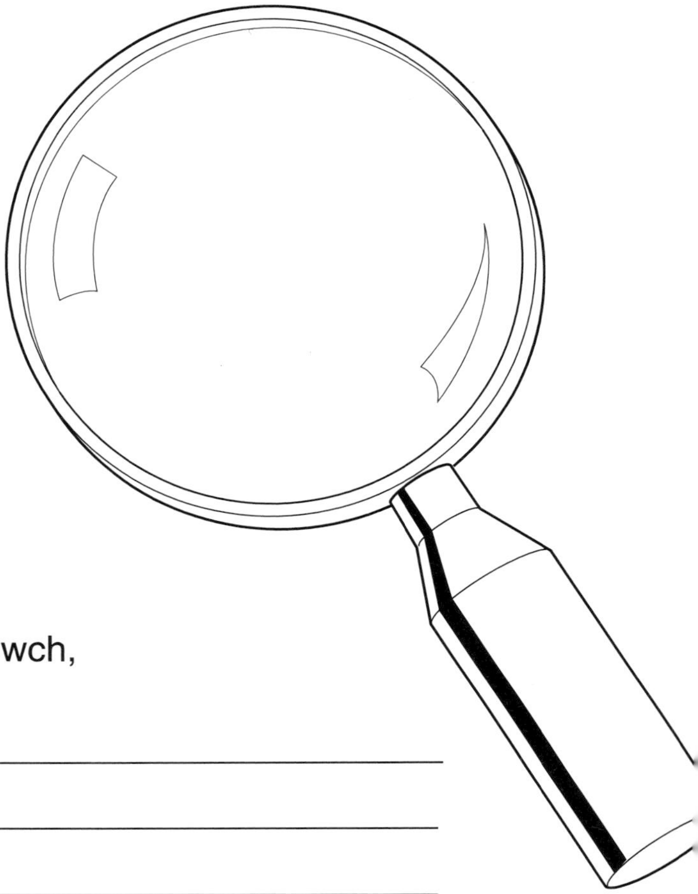

Gwead: _____

_____

Dyma sut mae'n edrych o dan chwyddwydr:

_____

_____

Gwybodaeth arall (e.e. rhidans, trwch, diddos, cryfder)

_____

_____

Gludiwch sampl o'ch defnydd yma.

Defnydd y gellir ei wneud ohono:

_____

_____

Y sawl sy'n ei ddefnyddio ac ymhle:

_____

_____

Meistrgopi 20

O ble rydyn ni'n cael tecstiliau?

O ble rydyn ni'n cael tecstiliau?

Ysgrifennwch o dan bob un o'r mathau hyn o ble y cawsom ni'r defnydd – o anifail, o blanhigyn neu fŵn

1. cotwm

2. lycra

3. gwlân

4. kapok

5. hesian

6. neilon

7. swêd

8. sidan

9. ffwr

10. acrylig

11. ffelt

12. rhwber

13. lledr

14. polyester

Meistrgopi 21

Defnyddio tecstiliau

Cysylltwch bob dilledyn â'r defnydd y caiff ei wneud ohono gan amlaf. Mae un pâr o eiriau wedi eu cysylltu'n barod:

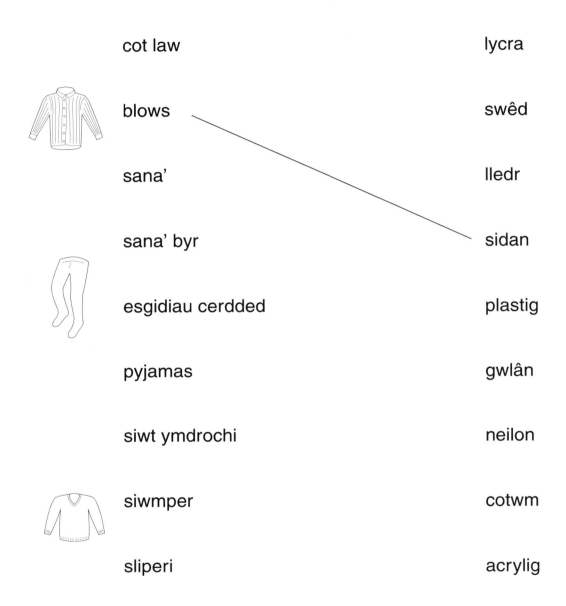

cot law	lycra
blows	swêd
sana'	lledr
sana' byr	sidan
esgidiau cerdded	plastig
pyjamas	gwlân
siwt ymdrochi	neilon
siwmper	cotwm
sliperi	acrylig

Beth ydy defnydd eich dillad chi? Tynnwch lun y label sydd y tu mewn i un dilledyn rydych chi'n ei wisgo. Beth ydy ystyr y symbolau sydd ar yr ochr chwith?

Pwythi sylfaenol 1

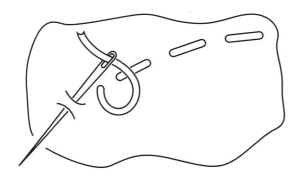

Pwyth rhedeg

Gwthiwch y nodwydd i lawr ac yna i fyny drwy'r defnydd, gan wneud pwythi sydd yr un hyd. Dylai'r pwythi ar ochr chwith y defnydd fod yn fyrrach na'r pwythi ar yr ochr dde.

Pwyth rhedeg dolennog

Gellir dolennu'r pwyth rhedeg gan ddefnyddio lliw gwahanol.

Defnyddiwch nodwydd drwynbwl a chymryd gofal rhag tynnu edau yn y defnydd.

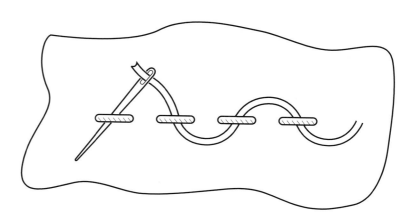

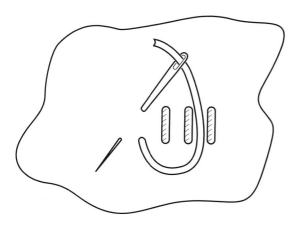

Pwyth milwr

Gellir pwytho pwyth milwr o'r dde i'r chwith neu o'r chwith i'r dde.
Dylai'r pwythi fod yr un hyd gyda bwlch rhwng pob pwyth.

Pwythi sylfaenol 2

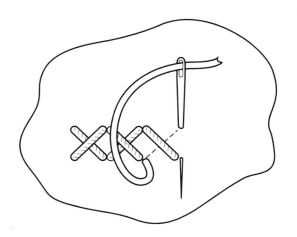

Pwyth croes

Dowch â'r nodwydd drwy'r defnydd o'r chwith yn y top i'r gwaelod ar y dde (cam 1) ac yna wneud croes drwy wnïo o'r gwaelod ar y chwith i'r top ar y dde (cam 2). Gallwch wneud y pwyth nesa' drwy ddilyn cam 2 yn gyntaf.

Pwyth croes dwbl

Gwnïwch bwyth croes dwbl drwy wneud un pwyth croes ac yna gosod croes arall drosto. Dylid gorffen pob pwyth mewn un gornel yn barod i ddechrau pwyth arall.

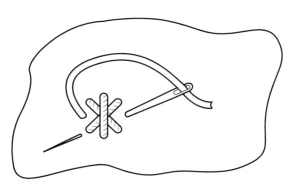

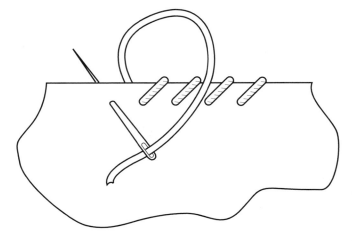

Pwyth ôl

Gosodwch yr edau ar y llinell ac yna gwnïwch bwyth ôl bychan drwy'r defnydd. Tynnwch y nodwydd o'r tu chwith i'r tu deau un cam bychan ymlaen ac yna yn ôl eto i'r union le roedd y pwyth wedi ei ddechrau.

Amylu

Gwthiwch y nodwydd drwy'r defnydd i'r tu chwith. Yna, dowch â'r nodwydd ac edau dros yr ymyl i'r tu deau a'u gwthio eto i'r tu chwith gan wneud pwythi bychan o'r un hyd. Gellir gwnïo'r pwyth hwn yn y ddau gyfeiriad – o'r chwith i'r dde neu o'r dde i'r chwith.

Crogluniau

Tasg: Dylunio a gwneud croglun i'ch ystafell wely.

Dyma rai syniadau.

Nawr, ceisiwch ateb y cwestiynau hyn cyn dechrau dylunio eich croglun.

Sut rydych chi'n mynd i wneud y border?

Pa siapiau ydych chi'n mynd i'w defnyddio i'r prif gynllun?

Pa liwiau fyddwch chi'n eu defnyddio?

Sut rydych chi'n mynd i wneud yn siŵr bod eich siapiau defnydd o'r maint cywir?

Sut y byddwch chi'n eu rhoi'n sownd?

Sut y byddwch chi'n addurno eich croglun?

Sut rydych chi'n mynd i hongian eich croglun – rhoi'r pren a'r llinyn yn sownd?

Meistrgopi 25

Bocsys

Atebwch y cwestiynau hyn mewn brawddegau. Byddd angen i chi dynnu lluniau hefyd.

1. I beth y byddwch chi'n defnyddio eich bocs?
2. Beth ydy'r defnydd mae'r bocs wedi ei wneud ohono?
3. Sut ddefnydd ydy hwn? Beth ydy ei liw? Sut deimlad sydd iddo?
4. Sawl darn sydd i'r bocs?
5. Edrychwch y tu mewn i'r bocs. Ydy'r tu mewn yn wahanol?
6. Sut mae'ch bocs yn cau?
7. Oes yna golfach arno? Os oes, tynnwch lun o'r golfach.
8. Pa fath o bobl fyddai'n defnyddio'r bocs hwn?
9. Ym mhle bydden nhw'n ei ddefnyddio?

Nawr, tynnwch lun o'ch bocs. Defnyddiwch bapur â sgwariau arno os dymunwch.

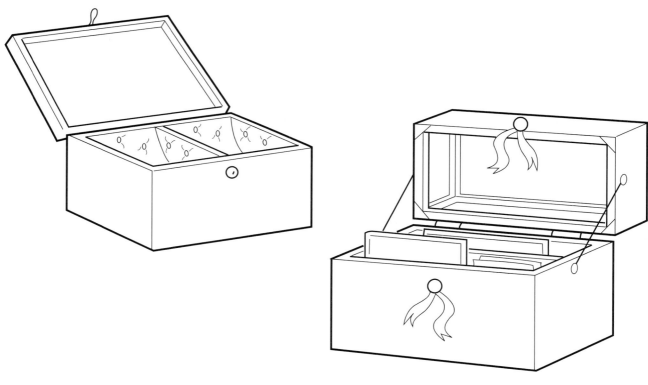

Ciwbiau

Adeiledd syml ydy ciwb. Os ydych yn ei agor allan cewch siâp a elwir yn rhwyd.

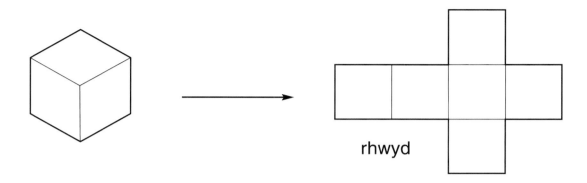

rhwyd

Her: Gwnewch gymaint ag sy'n bosibl o rwydi allan o 6 sgwâr, fydd yn ffurfio ciwb.

Dim ond fel hyn y gall y sgwariau ddod at ei gilydd :

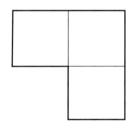

ddim fel hyn: 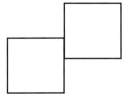   na fel hyn: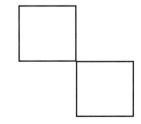

Byddwch yn ofalus, nid yw pob rhwyd 6 sgwâr yn ffurfio ciwb!

Gwneud ffrâm 3D

Cam 1

Gwnewch ffrâm bren 2D yn mesur 15cm x 5cm.
Gludiwch driongl mawr ym mhob cornel.

trionglau mawr o gerdyn

trionglau bach o gerdyn

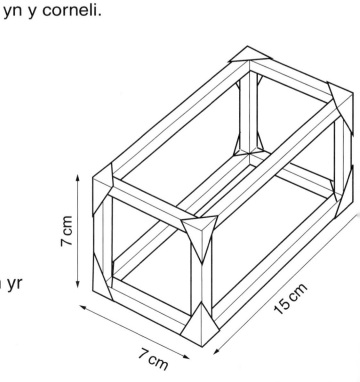

5 cm

15 cm

7 cm

Cam 2

Torrwch ddarnau o bren 5cm o hyd.
Gludiwch y tu mewn i'r trionglau mawr o gerdyn a gosod y darnau o bren yn ofalus yn y corneli.

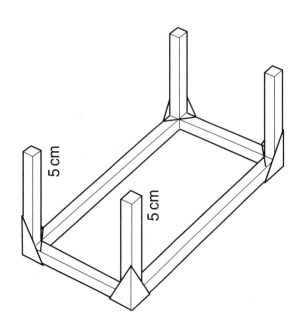

5 cm

5 cm

7 cm

15 cm

7 cm

Cam 3

Gludiwch ffrâm 2D arall ar ben yr adeiledd gan ddefnyddio glud poeth a glud PVA.

Trionglau ar gyfer fframiau pren

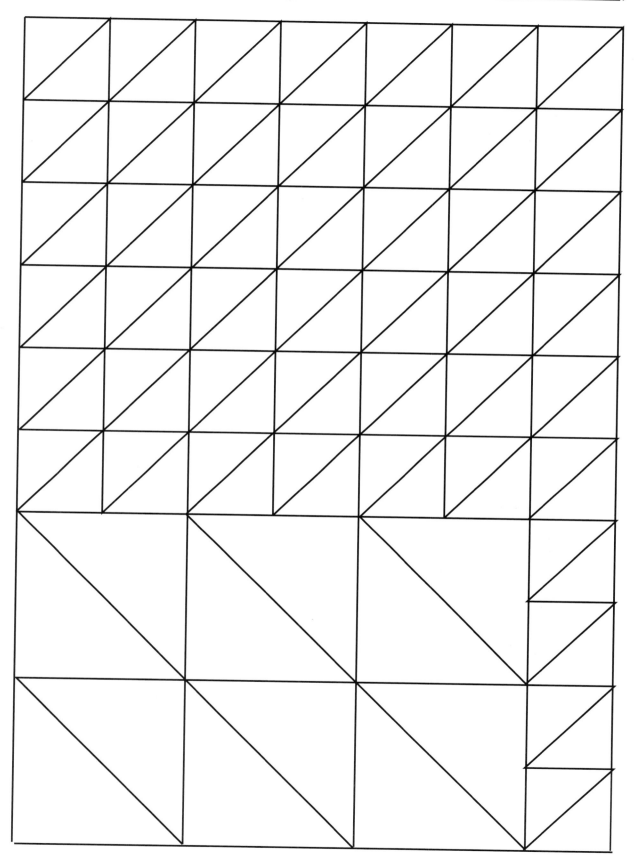

Papur â sgwariau centimetr eu maint

Colfachau ar gyfer bocsys

Dyma rai mathau o golfachau sy'n addas ar gyfer bocsys â ffrâm-bren.

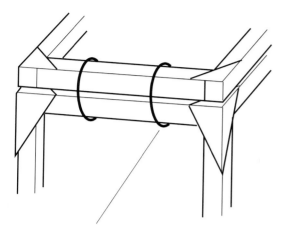

Llinyn neu wifren wedi ei
lapio o amgylch ffrâm

Tâp masgio wedi ei ludio tu allan
a thu mewn i ffrâm i wneud
colfach cryf

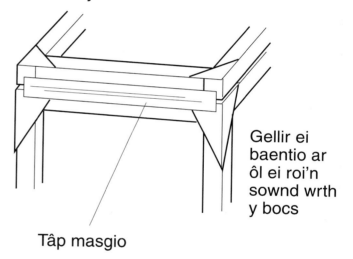

Gellir ei
baentio ar
ôl ei roi'n
sownd wrth
y bocs

Tâp masgio

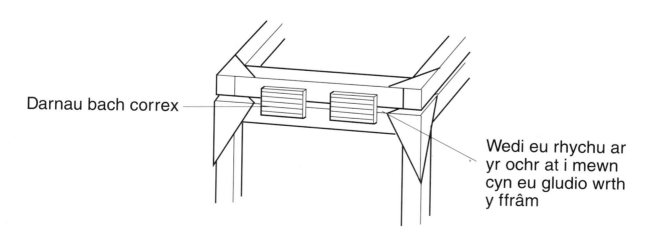

Darnau bach correx

Wedi eu rhychu ar
yr ochr at i mewn
cyn eu gludio wrth
y ffrâm

Gorchuddio ffrâm

Cam 1

Torri allan ddarnau o gerdyn yn union yr un maint ag ochrau'r ffrâm.

Cam 2

Gwneud patrwm papur drwy roi'r darnau o gerdyn ar bapur sgwariau a thynnu llinell o'u hamgylch

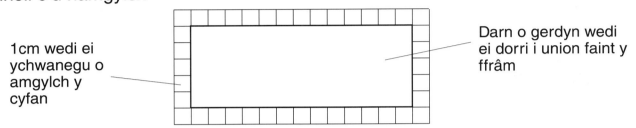

1cm wedi ei ychwanegu o amgylch y cyfan

Darn o gerdyn wedi ei dorri i union faint y ffrâm

Gyda phren mesur ychwanegwch 1cm o amgylch bob darn

Cam 3

Dewiswch orchudd i'ch ffrâm

Torrwch y patrymau papur a'u rhoi'n sownd wrth y defnydd neu bapur gyda phinnau gwniadwaith.

Torrwch o amgylch bob un yn ofalus a thynnu'r patrymau papur i ffwrdd.

Cam 4

Gosodwch y darnau cerdyn yng nghanol y defnydd neu'r siapiau papur ar y tu chwith.

Taenwch ychydig o lud ar hyd ymylon y cerdyn.

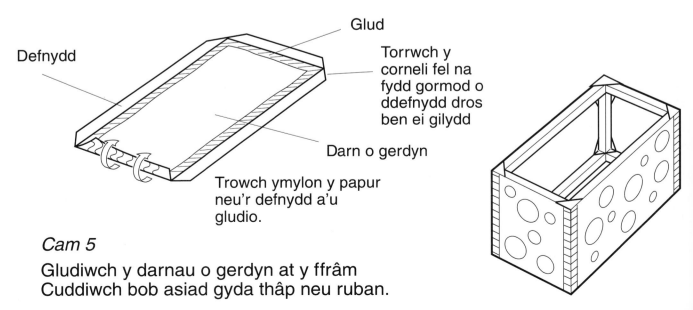

Glud

Defnydd

Torrwch y corneli fel na fydd gormod o ddefnydd dros ben ei gilydd

Darn o gerdyn

Trowch ymylon y papur neu'r defnydd a'u gludio.

Cam 5

Gludiwch y darnau o gerdyn at y ffrâm
Cuddiwch bob asiad gyda thâp neu ruban.

Ychwanegu leinin i'r bocs

Cam 1

Torrwch ddarnau o gerdyn yr un uchder â'r ffrâm a 2cm yn fwy cul. Dylai'r darn gwaelod fod 2 cm yn llai ar bob ochr.

Tynnwch linell o'u hamgylch i wneud darnau yn batrwm. Cofiwch ychwanegu 1cm o amgylch yn cyfan.

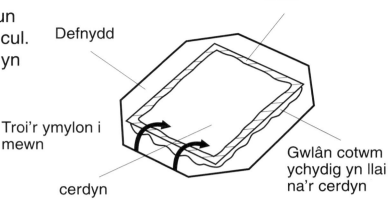

Glud

Defnydd

Troi'r ymylon i mewn

cerdyn

Gwlân cotwm ychydig yn llai na'r cerdyn

Cam 2

Defnyddiwch y darnau patrwm i dorri allan o'r defnydd neu'r papur.

Cam 3

Torrwch ddarnau o wadin ychydig yn llai na'r darnau o gerdyn.

Cam 4

Gwnewch frechdan o'r defnydd, y wadin a'r cerdyn, fel yn y llun. Gludiwch ymylon y cerdyn a throi ymylon y defnydd neu'r papur.

Cam 5

Gwthiwch y darn hirsgwar i waelod y bocs a'i ludio.

Cam 6

Cysylltwch y pedwar darn arall i wneud stribed gyda thâp masgio, gyda'r ochr defnydd/papur tuag i mewn. Gosodwch hwn y tu mewn i'r ffrâm a'i ludio yn ei le gan ddefnyddio glud PVA.

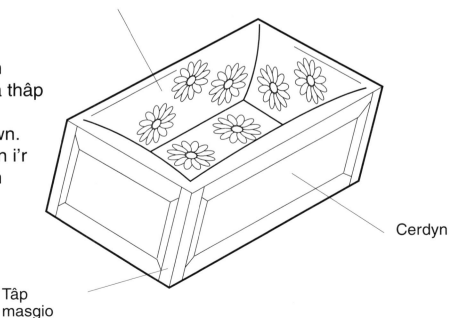

Defnydd/papur y tu mewn

Cerdyn

Cam 7

Gorchuddiwch ymylon uchaf y bocs gyda brêd (plethwaith) neu ruban.

Tâp masgio

Syniadau am focsys wedi eu gorchuddio â defnydd

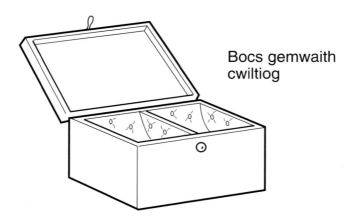

Bocs gemwaith
cwiltiog

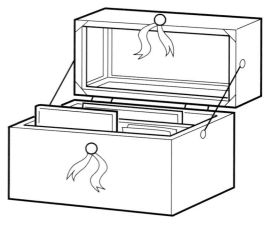

Bocs papur ysgrifennu

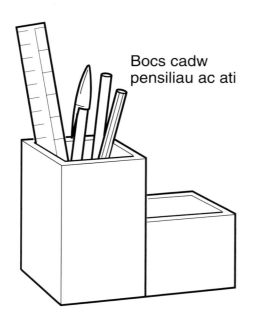

Bocs cadw
pensiliau ac ati

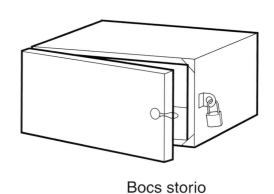

Bocs storio

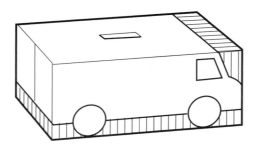

Cadw -mi-gei

Hoff flas ▷

Rwy'n meddwl mai fy hoff flas i fyddai:

Canlyniadau fy mhrofion:

Blaswr	Hoff flas	Ail ffefryn
Fi		

Nawr, atebwch y cwestiynau hyn:

1. Pa flas ar iogwrt sydd orau gan eich grŵp?

   _____

2. Pa flas sy'n ail orau?

   _____

3. Pa flas sydd ar waelod eich rhestr?

   _____

4. P'un ydy'r ffefryn yn eich dosbarth?

   _____

5. Ysgrifennwch bum gair i ddisgrifio'r iogwrt perffaith.

   _____

Enw _____

Blas yr iogwrt::

Llenwch y tabl. Rhowch farc allan o 5 ar gyfer pob maen prawf sydd gennych.

Enw'r gwneuthurwr?					Pris
Maen prawf 1					
Maen prawf 2					
Maen prawf 3					
Maen prawf 4					
Cyfanswm y marciau					

Cyfrifwch y marciau ar gyfer pob gwneuthuriad.

1. Pa un ydy'r ffefryn?

Nawr, ysgrifennwch beth ydy pris pob iogwrt yn y golofn olaf ar eich tabl.

2. Pa iogwrt ydy'r _____
   drutaf
   y rhataf?

3. P'un, yn arbennig, sy'n werth yr arian?

Poster technoleg bwyd

TECHNOLEG
BWYD YN UNIG

DIM
PAENT YN
Y SINC
YMA

Diogelwch yn y gegin

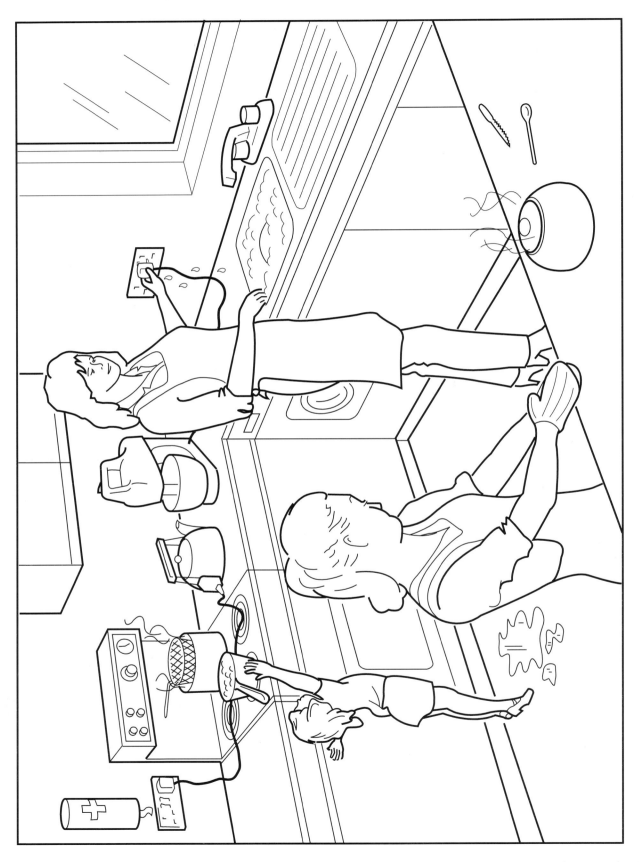

Enw _____

Labelwch yr offer hyn. Dyma rai geiriau i'ch helpu:

bwrdd   toes   cymysgu   mesur   llwy bwdin   rhidyll

1. _____

2. _____

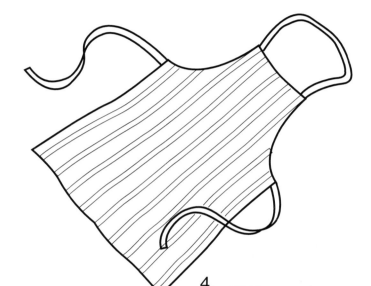

3. _____

4. _____

5. _____

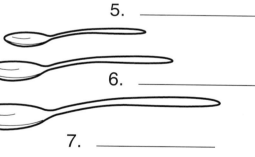

6. _____

7. _____

8. _____

9. _____

10. _____

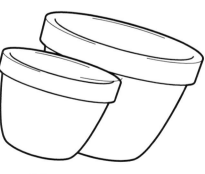

11. _____

Meistrgopi 39

Enw ─────────────────────

Offer coginio 2

Labelwch yr offer hyn. Dyma rai geiriau i'ch helpu:

chwyrlïydd   cyllell balet   crasu   rholio   gratur   llaw   teisen

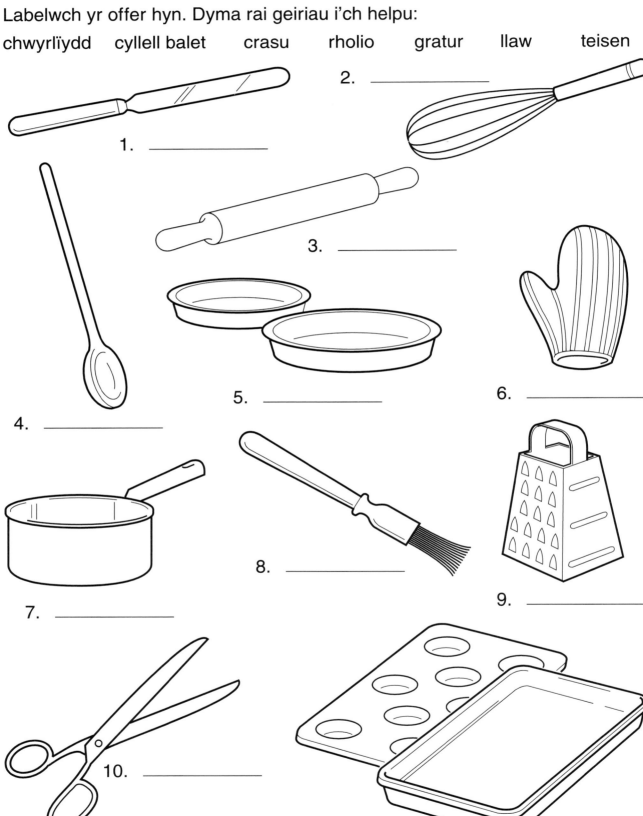

1. ─────────────

2. ─────────────

3. ─────────────

4. ─────────────

5. ─────────────

6. ─────────────

7. ─────────────

8. ─────────────

9. ─────────────

10. ─────────────

11. ─────────────

Gwybodaeth am ffrwyth ▷

Llenwch y daflen hon am eich darn o ffrwyth.

Enw'r ffrwyth:

Siâp: _____

Lliw'r croen: _____

Arwyneb y croen: _____

Trwch y croen: _____

Croen bwytadwy/anfwytadwy: _____

Lliw'r nodd: _____

Llun o'r ffrwyth

Llun o'r tu mewn i'r ffrwyth

Nifer o gerrig/ Maint y garreg: _____

_____

Sudd/ dim sudd: _____

Arogl: Cryf   [_____] Dim yn gryf

Ansawdd: Caled   [_____] Meddal

Blas: Melys   [_____] Chwerw

Caiff ei fwyta gyda bwyd melys/ bwyd sawrus? _____

Caiff ei goginio fel arfer? _____

Mae'n tyfu ar goeden neu winwydden neu lwyn neu blanhigyn? _____

Bwydlen – Melysfwyd

Profiteroles

Toes ysgafn fel plu, wedi ei lenwi â hufen a saws siocled drosto.

Pastai Afal

Pastai draddodiadol, crwstyn ac afalau, yn boeth neu oer gyda hufen, cwstard neu hufen iâ.

Pwdin taffi gludiog

yn boeth gyda hufen, cwstard neu hufen iâ

Teisen Siocled Hudolus

Teisen siocled gyda haenen o siocled gwyn a thrwch o hufen siocled tywyll drosti. At ddant y sawl sy'n gwirioni ar siocled.

Hufen iâ a ffrwythau

Dewis o hufen iâ blas mefus, mafon, fanila, mint gyda darnau o siocled, rym a resins neu sorbed lemwn ac oren.

Stwnsh ffrwythau talpiog

Stwnsh ffrwythau talpiog

Caws a bisgedi

Rysáit – Stwnsh ffrwythau talpiog ▷

Cynhwysion:

150g o iogwrt ffrwyth

25g o siwgr mân

110g o ffrwyth

bisgedi crimp, darnau o ffrwyth a botymau siocled i addurno

Offer:

cyllell fechan

bwrdd malu

powlen gymedrol o ran maint

chwyrlïydd

llwy fwrdd

clorian

dysglau i'w weini

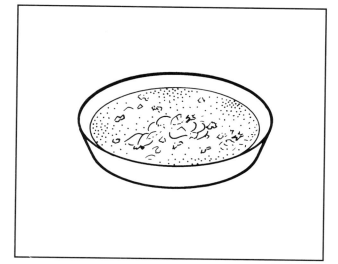

Dull:

1. Tynnu'r pîl a malu'r ffrwyth yn ddarnau bach. Cadw rhai darnau o'r neilltu i addurno.
2. Rhoi'r iogwrt mewn powlen fechan a'i chwyrlïo nes y bydd yn drwchus a hufenog.
3. Ychwanegu siwgwr at yr iogwrt, a'i chwyrlïo eto.
4. Ychwanegu'r ffrwyth at y gymysgedd a'i throi.
5. Tywallt y gymysgedd i'r dysglau a'i haddurno â'r darnau ffrwyth, botymau siocled a bisgedi.
6. Oeri'r cyfan cyn ei weini.

Cysgodluniau o offer cegin

Allwch chi ddweud beth ydy'r offer cegin wrth edrych ar y cysgodluniau hyn?
Labelwch bob un gyda'r enw cywir.

Cwis ar stof goginio

1. Tynnwch lun y stof goginio hon.

2. Ysgrifennwch y labeli hyn yn y man cywir ar y llun:
   pentan
   popty/ffwrn
   gridyll
   nobyn rheoli
   drws
   silffoedd

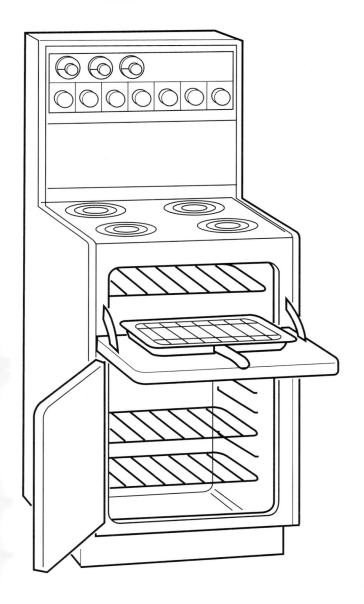

3. Nawr, labelwch y diagram i ddangos ble byddech chi'n coginio:

   cawl
   tost
   teisennau.

4. Yna, labelwch ble byddech chi'n:

   ffrïo
   berwi
   grilio
   rhostio
   crasu.

5. Ydy'r stof goginio hon yn wahanol i'ch un chi? Tynnwch lun o'ch stof goginio chi a labelu'r gwahaniaethau.

Enw _____

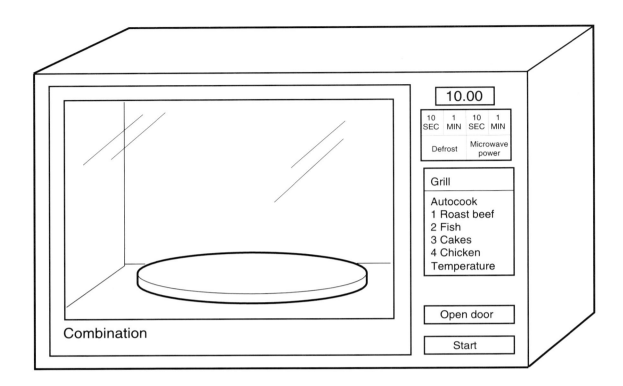

1. Ysgrifennwch y labeli hyn yn y mannau cywir ar y ffwrn ficrodon:
   bwrdd troi

   nobyn rheoli i'w chychwyn
   amserydd
   nobyn i agor y drws.

2. Oes gennych chi ffwrn ficrodon gartref neu yn yr ysgol? Ym mha ffyrdd
   mae hi'n wahanol i'r un sydd yn y llun?

3. Pa fwydydd allwch chi eu coginio mewn ffwrn ficrodon?

4. Beth na allwch chi ei roi mewn ffwrn ficrodon?

5. Os oes gennych chi ffwrn ficrodon gartref, ydych chi'n ei defnyddio:

   yn amlach na ffwrn arall?
   yn llai aml na ffwrn arall?
   i goginio mathau gwahanol o fwydydd?

Yr oergell

Dyma'r dull cywir i lenwi oergell.

1. Labelwch y gwahanol fathau o fwydydd y gallwch eu gweld.

2. Allwch chi feddwl am unrhyw resymau pam mae'r bwydydd wedi eu gosod fel hyn yn yr oergell?

Dylid cadw oergell bob amser ar dymheredd o 5°C neu lai. Dylid gorchuddio'r bwyd a'i storio yn y man cywir er mwyn sicrhau hylendid a diogelu rhag heintiad.

Hylendid bwyd

Ysgrifennwch reolau hylendid i lenwi'r bylchau. Mae geiriau yn y blychau i'ch helpu

Cyn dechrau:

1. _____

2. _____

3. _____

4. _____

5. _____

6. _____

golchi	gwallt	man
gweithio	gwisgo	cefn
gemwaith	tynnu	cymryd
unrhyw	dwylo	clymu
gorchuddio		briwiau
ffedog	glân	hir

Wrth weithio:

1. _____

2. _____

| tasgu | bysedd | byth |
| sychu | | llyfu |

Ar ôl gorffen:

1. _____

2. _____

3. _____

4. _____

5. _____

llawr	golchi	
sychu	pob	arwyneb
llieiniau	gorchuddio	
bwyd	llestri	sgubo

Allwch chi feddwl am fwy o reolau i'w cadw yn y gegin?

Cynllun bwydlen

Defnyddiwch y tabl hwn i gofnodi popeth rydych chi'n ei fwyta mewn wythnos gyfan.

	Pryd 1	Byrbryd	Pryd 2	Byrbryd	Pryd 3
Llun					
Mawrth					
Mercher					
Iau					
Gwener					
Sadwrn					
Sul					

Diet cytbwys

Mae yna bum prif grŵp o fwydydd sydd eu hangen arnom er mwyn cael diet cytbwys, sef proteinau, carboydradau, braster, fitaminau a mwynau.

Proteinau, yn bennaf, sydd arnom eu hangen i dyfu, felly yn aml rydym yn eu galw yn 'adeiladwyr y corff'. Mae protein mewn cig, pysgod, wyau, caws, pys, cnau a chodlysiau. Proteinau sy'n rhoi blas ar bryd o fwyd.

Carbohydradau sy'n rhoi egni i'r corff. Rydym eu hangen er mwyn cadw'r corff yn fyw ac yn heini. Maen nhw'n rhoi digon o galorïau neu kilojoules i roi egni i'r corff. Gellir is-rannu'r grŵp hwn i fwydydd starts fel tatws, pasta, bara a reis; bwydydd siwgr fel jam, mêl, siocled, bisgedi a melysion; a bwydydd ffibr fel ffrwyth a llysiau, blawd gwenith cyflawn ac ambell fath o rawnfwyd.

Braster – ffynhonnell egni arall. Nid yw bwydydd brasterog cystal er ein lles â charbohydradau ond mae arnom eu hangen. Mae sawl gwahanol fath ar fraster sy'n dod o lysiau neu anifeiliaid. Ar y cyfan, mae braster llysieuol yn well er ein lles na braster o anifeiliaid, er y gall gormod o fraster o unrhyw ffynhonnell fod yn niweidiol. Mae braster o anifeiliaid mewn caws, menyn, llaeth a chigoedd. Ffynonellau da i gael braster llysieuol ydy hadau blodau'r haul, cnau daear a ffa soya.

Fitaminau – rhaid cael y rhain er mwyn i'r corff dyfu ac adnewyddu. Ceir y rhan fwyaf o'r fitaminau, ychydig ar y tro, mewn bwydydd ond mae rhai pobl yn cymryd ychwaneg o fitaminau ar ffurf tabledi. Mae yna wahanol fathau o fitaminau a phob un wedi ei enwi ar ôl llythyren yn yr wyddor. Ceir llawer o fitaminau mewn ffrwythau a llysiau.

Mwynau – ceir ychydig o'r sylweddau hyn hefyd mewn bwydydd ac y maent yn ddefnyddiol mewn sawl ffordd. Ceir llawer o'r mwynau y mae ar y corff eu hangen fel calsiwm, haearn, ffosfforws a photasiwm yn ein bwyd-bob-dydd. Rhaid cael calsiwm i gryfhau'r esgyrn a'r dannedd ac y mae haearn yn bwysig i gael gwaed iach.

Yn ogystal, mae'n bwysig i ni gael tua thri litr o ddŵr bob dydd. Mae tua hanner hyn yn y bwyd rydym yn ei fwyta, ond dylem yfed tua un litr a hanner o laeth, dŵr neu sudd ffrwyth.

Meistrgopi 50

Enw

Croesair – Maetheg

Darllenwch y cliwiau a llenwi'r croesair.

Ar draws
1. Mae llawer o fraster o anifeiliaid yn y bwyd hwn, fel sydd mewn menyn, llaeth a chigoedd.
3. Rhaid cael y rhain er mwyn i'r corff dyfu ac adnewyddu.
5. Bydd un o'r rhain wedi ei phobi yn llawn starts.
7. Cawn fraster llysieuol o hadau blodau'r —————.
9. O'r rhain yn bennaf y cawn egni i'r corff.
11. Mae braster o'r rhain yn well i chi na braster o anifeiliaid.
13. Caiff carbohydradau eu mesur mewn calorïau neu kilo —————.
15. Mae braster yn ffynhonnell arall i gael hwn.
17. Cawn ychydig o'r sylweddau hyn mewn bwydydd.
19. Mae arnom angen tua thri litr o hwn bob dydd.

Ar i lawr
2. Caiff proteinau eu galw yn ————————— y corff.
4. Caiff fitaminau eu henwi ar ôl y rhain.
6. Gellir cael mwy o fitaminau drwy gymryd —————.
8. Cawn fraster llysieuol o hadau blodau'r —————.
10. Proteinau sydd arnom eu hangen yn bennaf i sicrhau ein bod yn gwneud hyn.
12. Dyma'r nifer o fathau o fwydydd sydd eu hangen i gael diet cytbwys.
14. Mae'r rhain mewn jam, mêl, siocled a bisgedi.
16. Mae hwn yn bwysig i'r dannedd a'r esgyrn.
18. Mae angen cael haearn er mwyn i hwn fod yn iach.
20. Mae carbohydradau yn rhoi egni i'r corff. Rydym eu hangen er mwyn cadw'r corff yn fyw ac yn —————.

Meistrgopi 51

Enw _____

Ysgrifennwch enwau'r bwydydd hyn yn y swigod cywir. Efallai y gellir rhoi rhai mewn mwy nag un swigen.

bara	caws	iogwrt	siocled	tatws	cig	jam
menyn	creision	pysgod	cnau	mêl	pasta	ffa
ffrwyth	grawnfwyd	reis	llysiau			llaeth

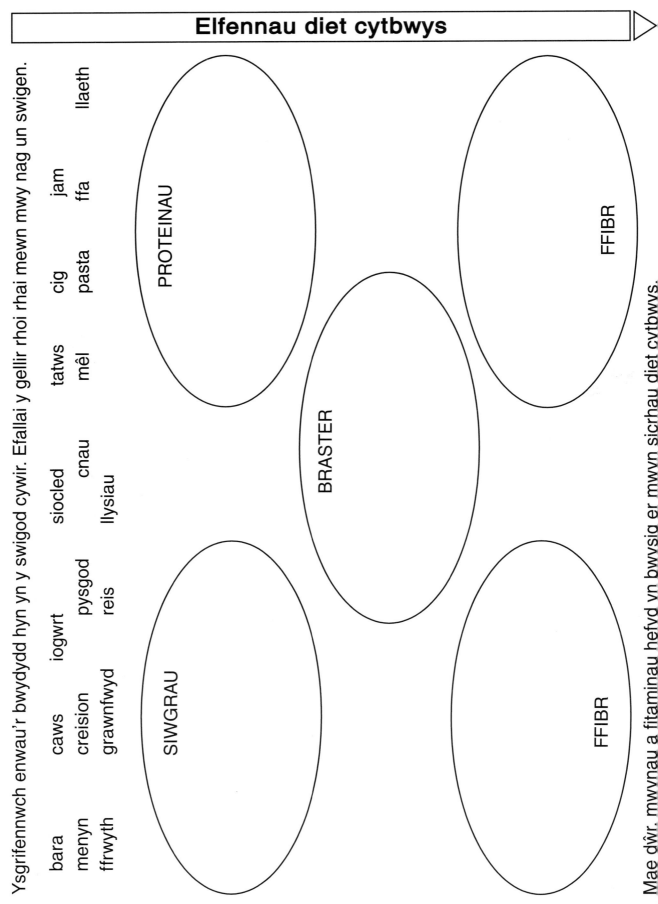

PROTEINAU

FFIBR

BRASTER

SIWGRAU

FFIBR

Mae dŵr, mwynau a fitaminau hefyd yn bwysig er mwyn sicrhau diet cytbwys.

Meistrgopi 52

Ffeithiau am fwyd

Dangoswch a ydy'r bwydydd hyn yn cynnwys:

○ dŵr   ◇ fitaminau a mwynau   ■ siwgrau   △ starts   ● braster   ☐ protein

Meistrgopi 53

Cynllunio picnic ▷

Dewiswch rai o'r bwydydd a ddangosir ar dudalen 53 a rhestru bwydydd iach ar gyfer picnic. Ysgrifennwch eich bwydlen isod neu dynnu lluniau.

Pa bryd fyddech chi yn ei hoffi orau?

Picnic pizza

Rydych chi a'ch ffrind yn mynd i gael picnic. Byddwch yn gwneud pizza caws a thomato fel rhan o'ch pryd. Cynlluniwch fwydlen gytbwys, iach a fyddai'n cynnwys y pizza.

Atebwch y cwestiynau hyn i'ch helpu i gynllunio eich bwydlen.

Pa faethynnau sydd mewn pizza?

Pa elfennau eraill sydd arnoch eu hangen er mwyn paratoi pryd cytbwys?

Ym mha fwydydd y gallwch gael yr elfennau hyn?

Faint fydd arnoch ei angen o bob math o fwyd?

Sut rydych chi'n mynd i gario'r picnic?

Fydd arnoch chi angen unrhyw beth arall i'ch picnic?

Pizza ar sgon

Offer

clorian

powlen o faint cymedrol

powlen fechan

rhidyll

fforc

llwy blastig i gymysgu neu lwy bren

rholbren

tun pobi

sosban fechan

cyllell finiog

bwrdd malu

gratur

jwg mesur

Cynhwysion

I'r sgon:

200g o flawd codi

50g o fargarîn

hanner llond llwy de o halen

150ml o laeth

I'r taeniad:

3-4 llond llwy fwrdd o domatos tun

1 llwy de o flawd corn

75g o gaws wedi ei falu

1 nionyn/winwnsyn wedi ei falu

hanner llond llwy de o siwgr

halen

pupur

perlysiau cymysg

Dull o wneud pizza ar sgon

1. Iro tun pobi a thwymo'r popty i 200° C

2. Rhidyllu'r blawd a hanner llwy de o halen i fowlen gymedrol ei maint.

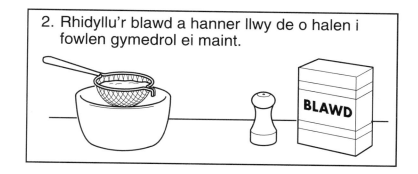

3. Defnyddio fforc ac yna flaenau'r bysedd i gymysgu'r margarîn a'r blawd nes y bydd yn debyg i friwsion bara.

4. Ychwanegu'r llaeth fesul tipyn a chymysgu'r cyfan.

5. Rholio'r toes yn gylch a'i roi ar y tun pobi.

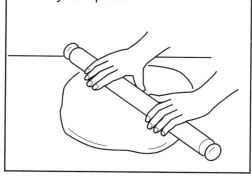

6. Rhoi'r tomatos mewn sosban a chymysgu'r blawd corn i mewn i'r hylif. Codi'r gymysgedd i'r berw nes y bydd yn tewhau.

7. Ychwanegu halen, pupur a siwgr. Gadael i'r gymysgedd oeri.

8. Rhoi'r gymysgedd, nionyn/winwnsyn a chaws wedi eu malu ar y toes. Hau'r perlysiau dros y cyfan.

9. Crasu'r pizza am 20 munud nes y bydd yn felyn-frown.

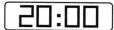

Dylunio picnic

Allwedd

☐ protein   ● braster   △ starts   ■ siwgrau   ◇ fitaminau a mwynau   ○ dŵr

Rhestr siopa

Dyma'r gwahanol fwydydd y byddaf yn eu bwyta

Pizza

Goleuo hanes

Dyma luniau o wahanol lampau o wahanol gyfnodau hanesyddol. Torrwch y lluniau allan a'u rhoi mewn trefn gronolegol i wneud 'llinell amser' seiliedig ar oleuadau.

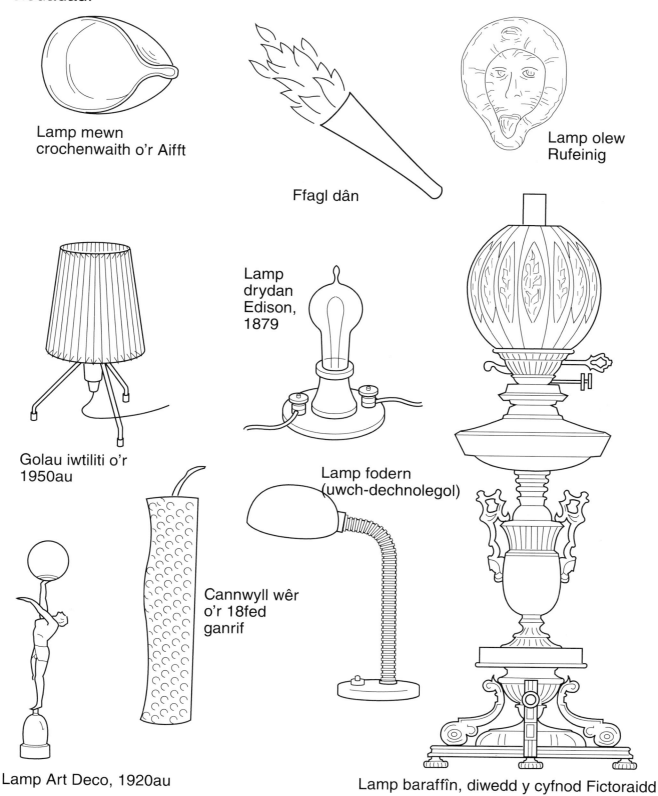

Lamp mewn crochenwaith o'r Aifft

Ffagl dân

Lamp olew Rufeinig

Lamp drydan Edison, 1879

Golau iwtiliti o'r 1950au

Lamp fodern (uwch-dechnolegol)

Cannwyll wêr o'r 18fed ganrif

Lamp Art Deco, 1920au

Lamp baraffîn, diwedd y cyfnod Fictoraidd

Y fflachlamp

Ysgrifennwch y labeli hyn yn y mannau cywir ar y llun:

batri
bwlb
swits
adlewyrchydd
sbring

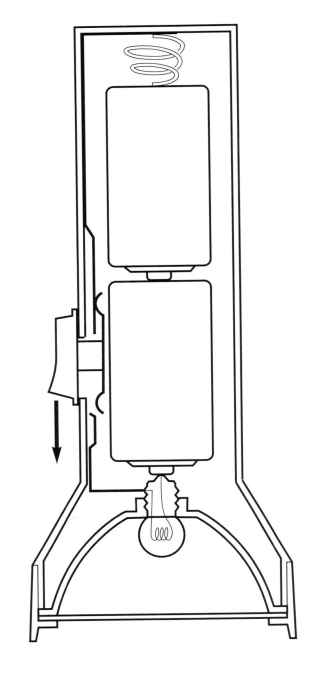

Nawr, atebwch y cwestiynau hyn.

1. Beth sy'n digwydd pan gaiff y swits ei symud i gyfeiriad y saeth?

2. Beth ydy pwrpas y sbring?

3. Beth ydy pwrpas yr adlewyrchydd?

Meistrgopi 60

Adnabod offer trydanol

Gwiriwch yr offer trydanol yma drwy osod pob darn ar ben y llun ohono

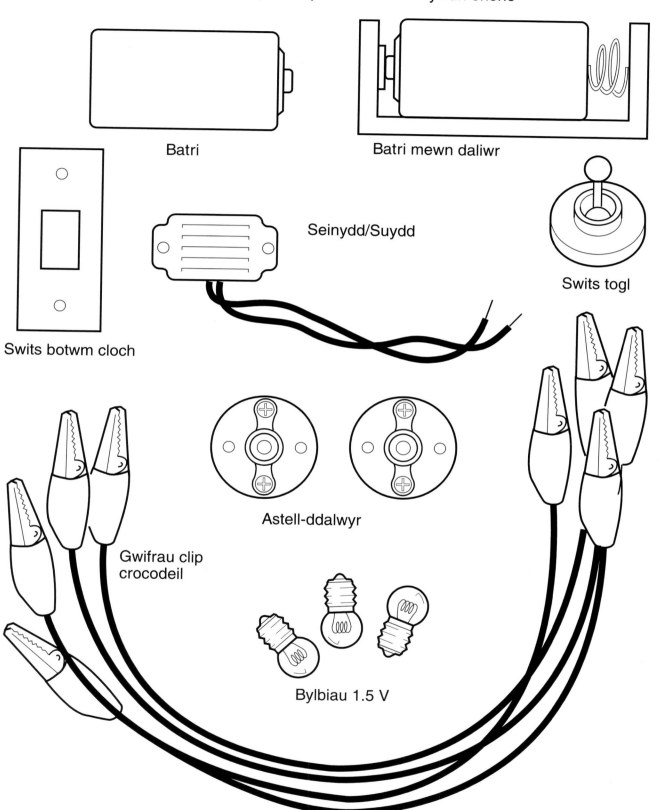

Batri

Batri mewn daliwr

Swits botwm cloch

Seinydd/Suydd

Swits togl

Gwifrau clip crocodeil

Astell-ddalwyr

Bylbiau 1.5 V

Meistrgopi 61

Enw _____

Pan na fydd eich cylched yn gweithio'n iawn . . .

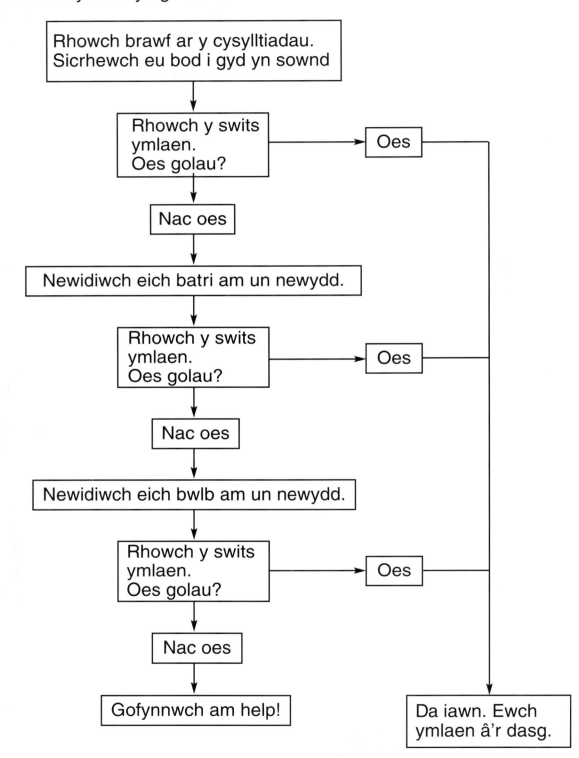

Pan fyddwch wedi llwyddo i gael eich cylched i weithio, rhowch brawf ar y darnau eraill fesul un.

Mwy o offer trydanol

Labelwch y darnau trydanol yn gywir. Dylai'r eirfa eich helpu:

botwm cloch   seinydd/suydd   batri   corsen   togl   crocodeil

swits   gafaelydd

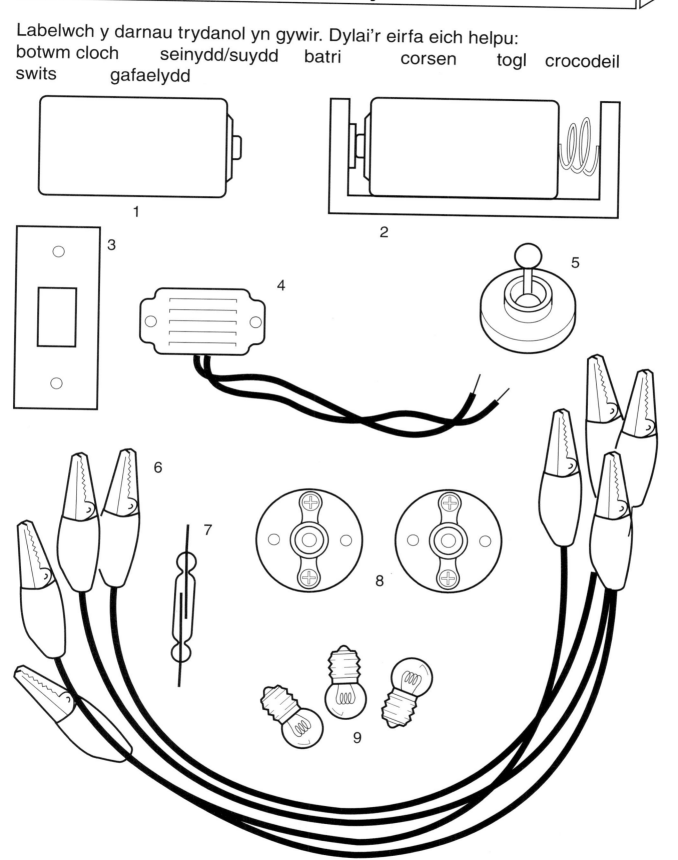

Michael Faraday (1791-1867)

Roedd Michael Faraday yn un o'r prif ffisegwyr arbrofol ym Mhrydain. Fe'i dysgodd ei hunan drwy ddarllen am wyddoniaeth mewn gwyddoniadur cyn dechrau gweithio i gemegydd enwog, Humphry Davy. Bryd hynny, roedd gwyddonwyr newydd ddechrau dysgu sut i gynhyrchu trydan a bu gwaith Faraday o gryn help iddyn nhw. Yn 1831 darganfu sut i gynhyrchu trydan, ond aeth llawer o flynyddoedd heibio cyn i drydan gael ei ddefnyddio mewn cartrefi. Ni chynhyrchwyd offer coginio trydanol hyd 1879, ddeuddeng mlynedd ar ôl i Faraday farw.

Arbrofion Faraday fu'n sail i'r motor trydanol a ddefnyddir mewn llawer o offer yn y cartref fel y peiriant golchi, yr hi-fi, camerâu a rhewgelloedd.

Y dull mwyaf arferol o gynhyrchu trydan bellach yw trosi ynni cemegol yn ynni trydanol naill ai drwy adwaith cemegol fel mewn batri neu drwy losgi tanwydd fel glo a nwy.

Atebwch y cwestiynau hyn:

1. Pa bryd roedd Michael Faraday yn byw?

2. Sut y bu iddo ddysgu am wyddoniaeth yn y lle cyntaf?

3. Pa bryd y dysgodd Faraday sut i gynhyrchu trydan?

4. Faint oedd ei oed bryd hynny?

5. Pa danwydd a ddefnyddir fel arfer i gynhyrchu trydan?

Lluniwch restr o'r holl offer trydanol sydd yn eich cartref.

Troi'r swits ymlaen

Labelwch bob diagram i ddangos sut y mae'r swits yn gweithio

Swits togl

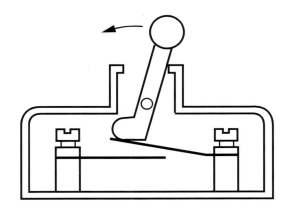

Swits botwm cloch

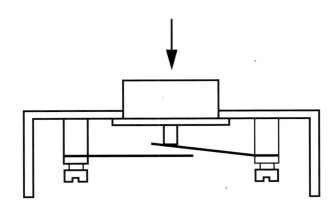

Swits corsen

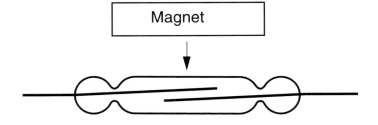

Magnet

Goleuadau Traffig

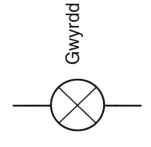

Gwyrdd

Melyn

Coch

Cwblhewch y gylched hon i wneud i'r tri bwlb oleuo yn eu tro.

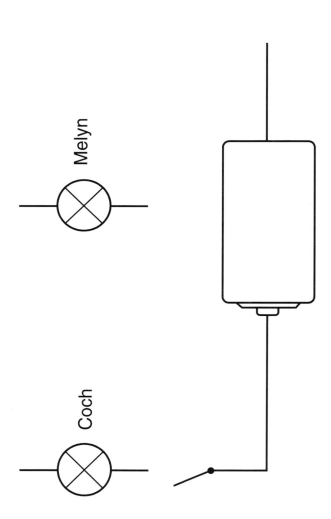

Adnabod liferi

Bar anhyblyg sy'n symud o gylch colyn neu ffwlcrwm yw lifer. Edrychwch yn ofalus ar bob lifer. Lliwiwch y lifer yn goch a'r colyn yn las.

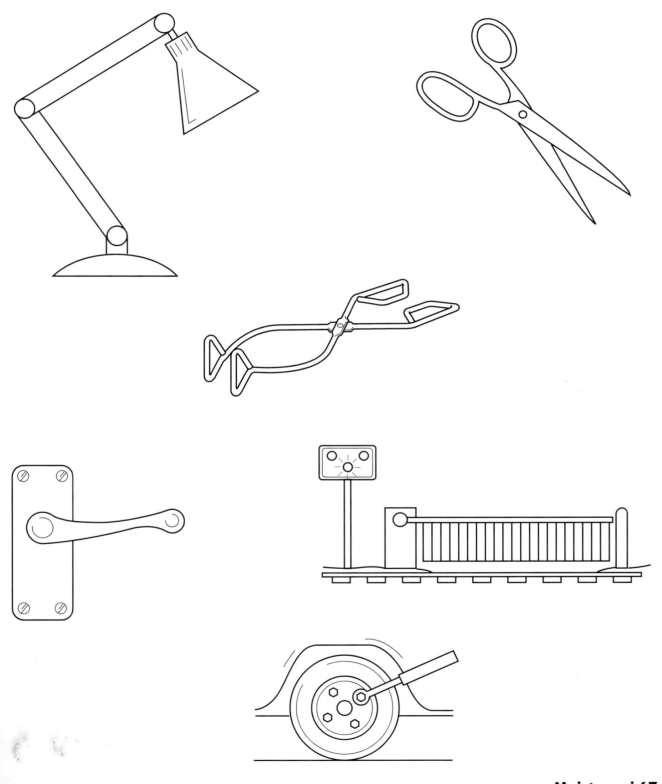

Cynllunio tegan

Mae'r Cyhoeddwyr Woodall & Caldecott yn bwriadu cyhoeddi cyfres o lyfrau i blant.

Maen nhw eisiau creu set o deganau i'w gwerthu gyda'r teitlau newydd.

Tasg: Dylunio a gwneud pyped sy'n symud i gynrychioli cymeriad mewn llyfr i blant.

Dylunio pyped ar bren lolipop

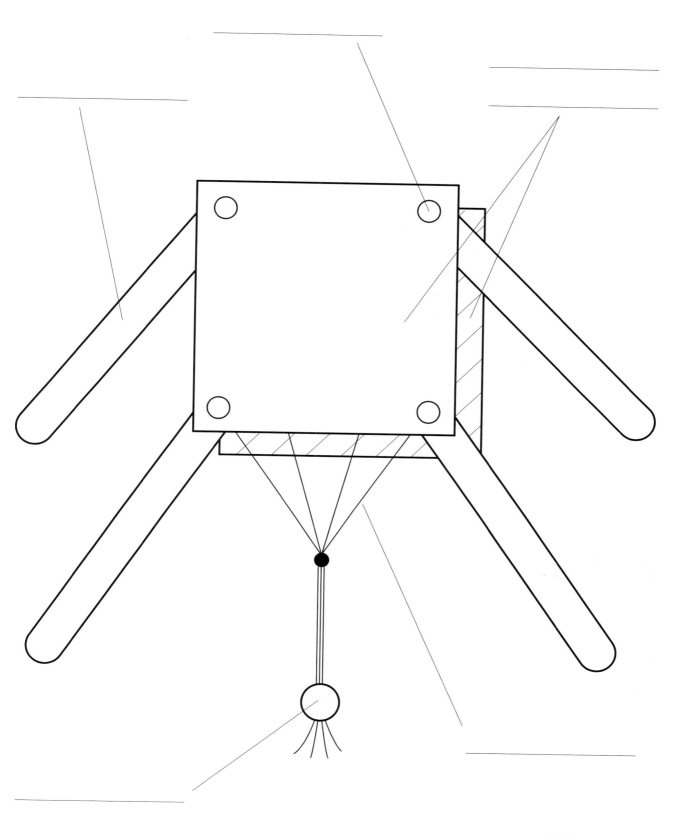

Meistrgopi 69

Liferi 1

Ychwanegwch un pwysyn i gloriannu pob si-so.

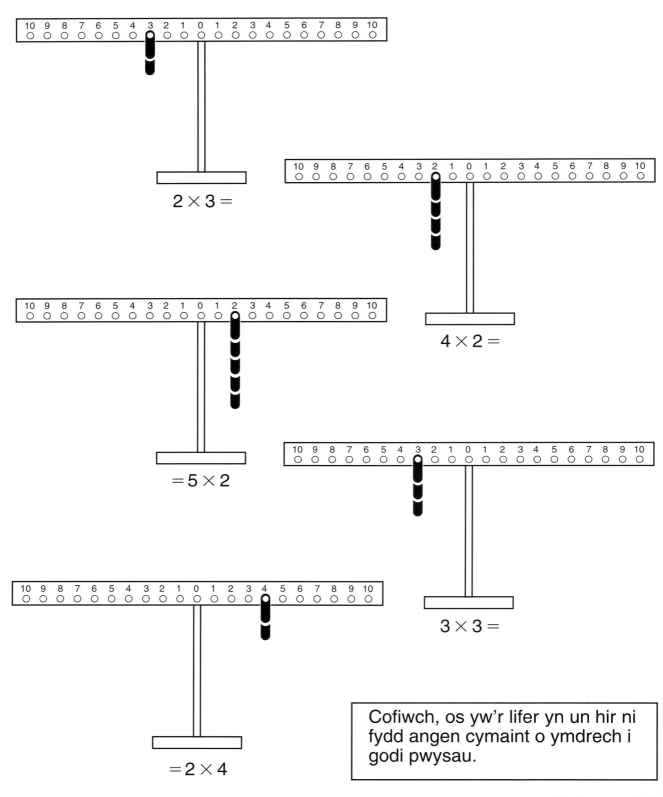

$2 \times 3 =$

$4 \times 2 =$

$= 5 \times 2$

$3 \times 3 =$

$= 2 \times 4$

Cofiwch, os yw'r lifer yn un hir ni fydd angen cymaint o ymdrech i godi pwysau.

Liferi 2

Ar bob un o'r lluniau hyn, labelwch y colyn a thynnwch lun saeth i ddangos ble mae'n rhaid defnyddio nerth neu ymdrechu.

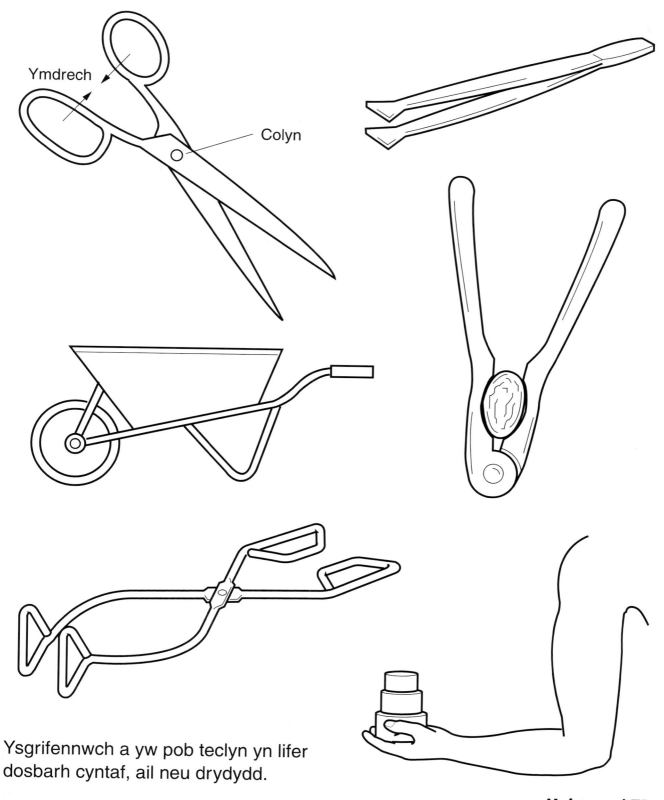

Ysgrifennwch a yw pob teclyn yn lifer dosbarh cyntaf, ail neu drydydd.

Help llaw

Dilynwch y cyfarwyddiadau hyn:

1. Dargopïo yr amlinell hon.

2. Trosi'r patrwm i ddarn o gerdyn cryf neu ddarn o blastig rhychiog ddwy waith.

3. Torri'r ddau ddarn allan yn ofalus.

4. Gofalu bod y ddau ddarn yr un fath yn union.

5. Torri twll lle mae'r smotyn du wedi ei farcio.

6. Cysylltu'r darnau gyda phin hollt.

7. Gwneud dolennau o gerdyn neu ramin.

TORRI 2

Cysylltu'r ddolen yma.

Troi'r tap

Mae Mrs Jacobs yn dioddef o'r gwynegon. Un dasg sy'n anodd iawn iddi yw troi tap dŵr. Allech chi ddylunio a gwneud dyfais fyddai yn ei helpu hi?

Atebwch y cwestiynau hyn. Dylai'r atebion roi syniadau i chi ar sut i gynllunio eich dyfais.

1. Pa siâp sydd i bennau tapiau?

2. Sut y bydd eich dyfais yn cydio yn y tap?

3. Gyda pha ddefnyddiau gallech chi wneud eich dyfais?

4. Ddylech chi fedru defnyddio eich dyfais gydag un llaw yn unig?

Dyfeisiadau gwych

Torrwch y sgwariau allan yn ofalus. Cysylltwch bob dyfais â'r wybodaeth gywir.

5000 CC *Yr olwyn* Dyma ddyfais a'i gwnaeth yn llawer haws i symud pethau. Câi ei defnyddio i wneud crochenwaith hefyd.	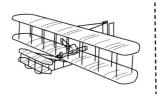	**1885 OC** *Ceir* Adeiladwyd y ceir cyntaf gan ddau Almaenwr oedd yn gweithio mewn mannau gwahanol. Daimler a Benz oedd enwau'r dynion hyn.	
3500 CC *Hwyliau* Dyma'r tro cyntaf y defnyddiwyd y gwynt i symud pethau yn eu blaenau.		**1903 OC** *Awyrennau* Orville Wright o'r America oedd y dyn cyntaf i hedfan mewn awyren. Bu yn yr awyr am 12 eiliad.	
1802 OC *Llongau ager* Adeiladwyd y gyntaf yn yr Alban ond chafodd hi mo'i defnyddio erioed!		**1939 OC** *Awyrennau jet* Adeiladwyd y gyntaf yn yr Almaen gan Hans von Ohain.	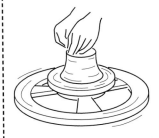
1825 OC *Trenau ager/stêm* Roedd y rheilffordd gyntaf yn 64 km o hyd, yn rhedeg o Stockton i Darlington.		**1961 OC** *Teithio yn y gofod* Yuri Gagarin, gofodwr o Rwsia, oedd y cyntaf i deithio yn y gofod.	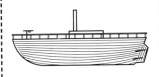
1873 OC *Beiciau* Dyfeisiodd Mr Lawson y beic cyntaf gyda chadwyn. Cyn bo hir, roedd ar bawb eisiau cael un.		**1976 OC** *Awyrennau uwchsonig* Yr awyren deithwyr gyntaf i hedfan yn gyflymach na chyflymder sŵn oedd y Concorde	

Meistrgopi 74

Olwynion, treuliau echel a chapiau bothau

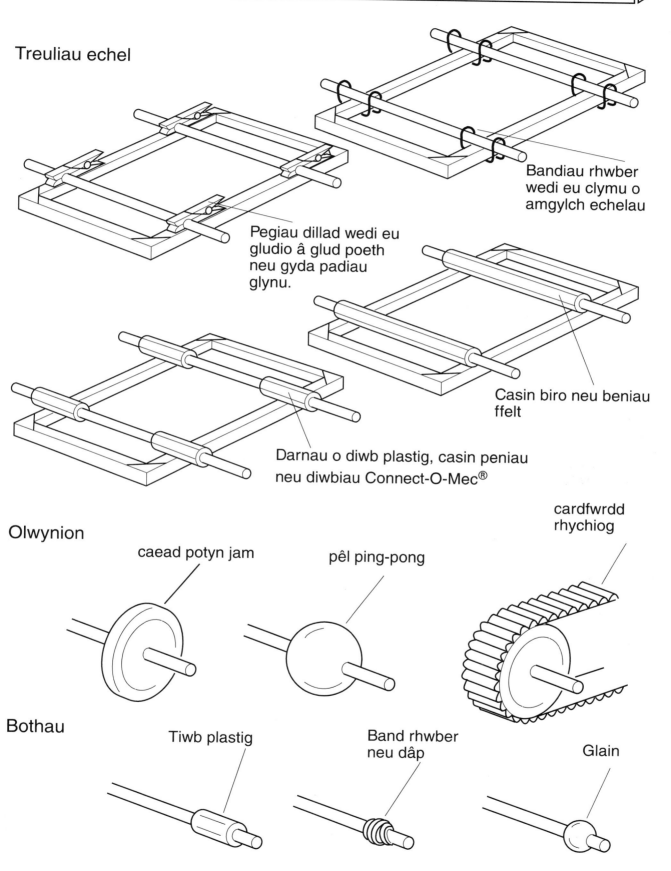

Treuliau echel

Bandiau rhwber
wedi eu clymu o
amgylch echelau

Pegiau dillad wedi eu
gludio â glud poeth
neu gyda padiau
glynu.

Casin biro neu beniau
ffelt

Darnau o diwb plastig, casin peniau
neu diwbiau Connect-O-Mec®

Olwynion

cardfwrdd
rhychiog

caead potyn jam

pêl ping-pong

Bothau

Tiwb plastig

Band rhwber
neu dâp

Glain

Meistrgopi 75

Cynllun fy nghar

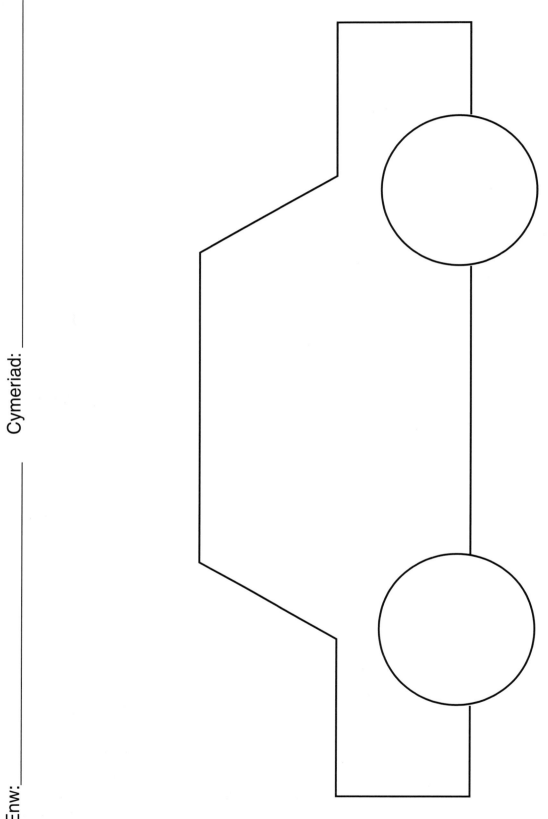

Cymeriad:

Enw:

Gwneud fy nghar

Rhifwch y brawddegau hyn i ddangos y drefn gywir i'w dilyn er mwyn gwneud y dasg.

Gludio yr ochr gyntaf at ei gilydd gan ddefnyddio corneli cerdyn.

Gosod y darnau i ffurfio petryal.

Torri dau ddarn byrrach o bren gan ddefnyddio haclif fach.

Marcio'r pren â phensel.

Torri ychydig o drionglau allan o gerdyn ar gyfer y corneli.

Defnyddio pren mesur i fesur y pren.

Troi'r ffrâm drosodd a gludio corneli ar yr ail ochr.

Oes yna unrhyw ran ar goll?

Ysgrifennwch neu lunio gwell canllaw ar gyfer gwneud eich car. Defnyddiwch y brawddegau sydd uchod a'r lluniau hyn i'ch helpu.

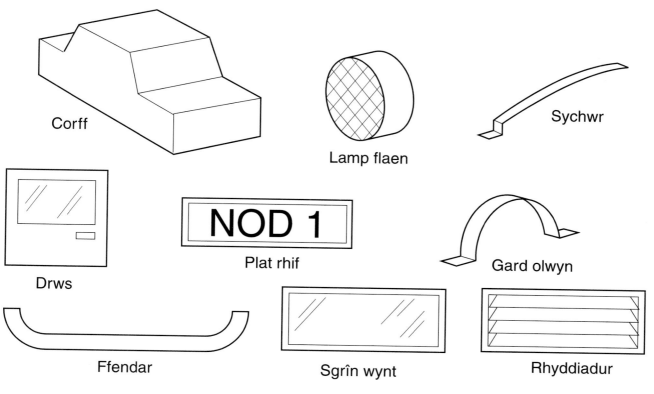

Corff

Lamp flaen

Sychwr

Drws

NOD 1

Plat rhif

Gard olwyn

Ffendar

Sgrîn wynt

Rhyddiadur

Meistrgopi 77

Rhwyd ar gyfer corff y car

Tabiau
glud

Rhychu ar
yr ochr hon

Rhychu ar
yr ochr
arall

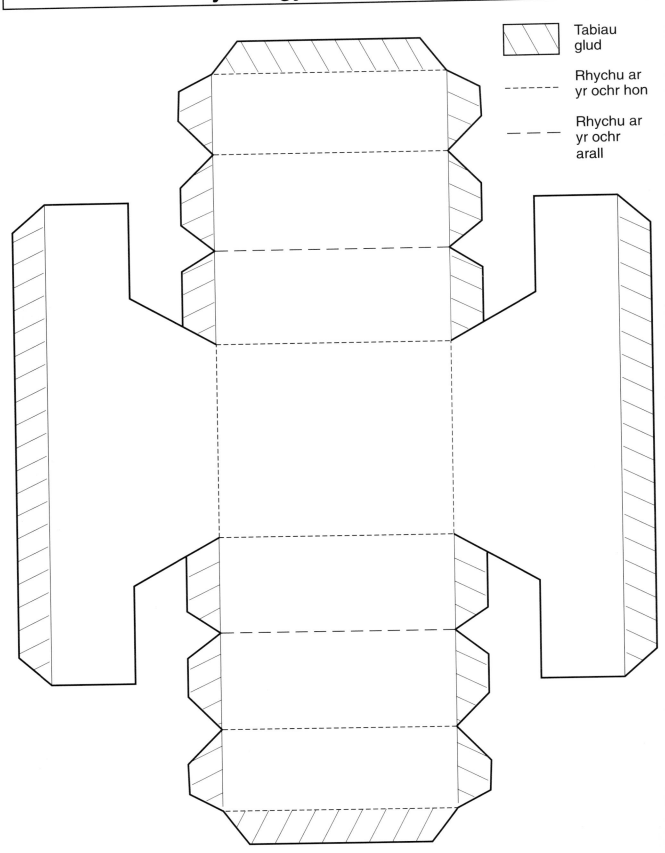

Gwerthuso fy nghar

Roedd fy nghynllun wedi ei lunio yn daclus.			
Roedd pob cam yn ei le.			
Roeddwn i wedi cofio am gasglu'r holl offer oedd ar fy rhestr adnoddau at ei gilydd.			
Roeddwn i wedi gwrando ar y cyfarwyddiadau.			
Roedd y ffrâm yn syth.			
Roedd fy rhwyd gardfwrdd wedi ei thorri yn daclus.			
Roedd y gwaith gludio yn ofalus ac yn daclus.			
Roedd fy lliwio a'r addurn yn daclus.			
Roedd y car wedi ei orffen yn debyg i'r cynllun.			
Mae fy nghar yn symud yn dda.			
Fe weithiais ar fy mhen fy hun heb fawr o help.			

Meistrgopi 79

Pa ddefnydd?

Cysylltwch y defnyddiau â'r pethau y gellid bod wedi eu gwneud gyda'r defnyddiau hynny. Mae un enghraifft wedi ei gwneud yn barod.

Bwrdd

Cwpan

Cot law

Blanced

Cynhwysydd bwyd ar glud

Arhosfan bws

Blwch postio

Bathodyn enw

Clipfwrdd

Bocs cadw pethau'n daclus ar ddesg

Pren

Pluen

Plastig

Gwydr

Ffabrig

Papur

Brics

Clai

Metel

Gwlân

Priodweddau defnyddiau

Gellir defnyddio'r geiriau hyn i ddisgrifio'r defnyddiau sydd yn y tabl isod. Ysgrifennwch y geiriau yn y colofnau cywir. Gallwch ddefnyddio rhai geiriau fwy nag un waith. Mae'r cyntaf wedi ei wneud yn barod.

cynnes · caled · pŵl · meddal · golau · tryleu · amsugnol

oer · gwydn · syth · cwrs · di-draidd · cryf

sgleiniog · crwm · anhyblyg · esmwyth · trwm · gellir ei dorri

hyblyg · diddos · brau · tryloyw

Metel	Papur cegin	Pren	Haenen lynu
			hyblyg

Profi defnyddiau

Dilynwch y camau hyn:

1 Torri allan ddarnau tebyg o ran maint o correx, papur cegin a phapur llinellog. Defnyddio pibed i ollwng tri dafn o ddŵr ar bob un.
Mesur a chymharu'r gwlybaniaeth/y pwll o ddŵr ar bob un. Ysgrifennu eich canlyniadau yn y tabl hwn.

Defnydd	Pwll a wnaed
correx	
papur cegin	
papur llinellog	

2. Torri darnau tebyg o correx, pren a phapur llinellog. Gosod y darnau ar ben dau bentwr o lyfrau a phwysau ar bob pen. Profwch y stribedi i weld faint o bwysau y gallant ei ddal. Ysgrifennwch eich canlyniadau yn y tabl hwn.

Defnydd	Dal pwysau
pwysau	
correx (sianeli yn rhedeg ar hyd y stribed)	
pren	
papur llinellog	

Cryfder defnyddiau ▷

Torrwch ddarnau tebyg o ran maint o correx, ffabrig gwlân, cardfwrdd a phapur cegin.

Gosodwch bob un ar sylfaen gan ddefnyddio pinnau bawd neu styffylau.

Defnyddiwch ddarn o bapur gwydrog a'i lapio o amgylch blocyn llyfnu a rhwbiwch bob darn o ddefnydd. Beth ydych chi wedi ei ddarganfod?

Ysgrifennwch eich sylwadau yn y tabl hwn.

Defnydd	ar ôl 10 rhwbiad	ar ôl 50 rhwbiad	ar ôl 100 rhwbiad
correx			
ffabrig			
cardfwrdd			
papur cegin			

Olwynion pwli

Tynnwch lun saeth 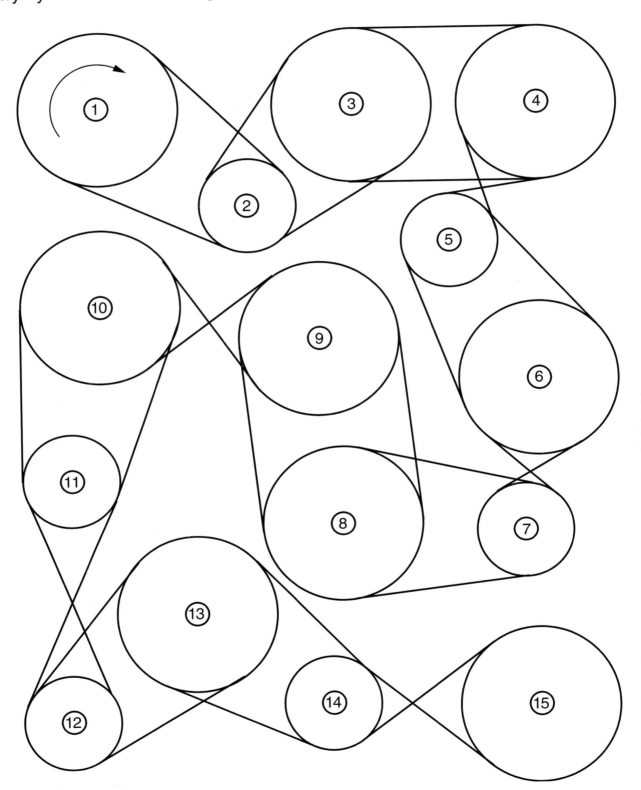 neu i ddangos i ba gyfeiriad mae pob olwyn yn troi. Dechreuwch yn 1 a gorffen yn 15.

Syniadau ar sut i gynllunio 'ceffylau bach' ▷

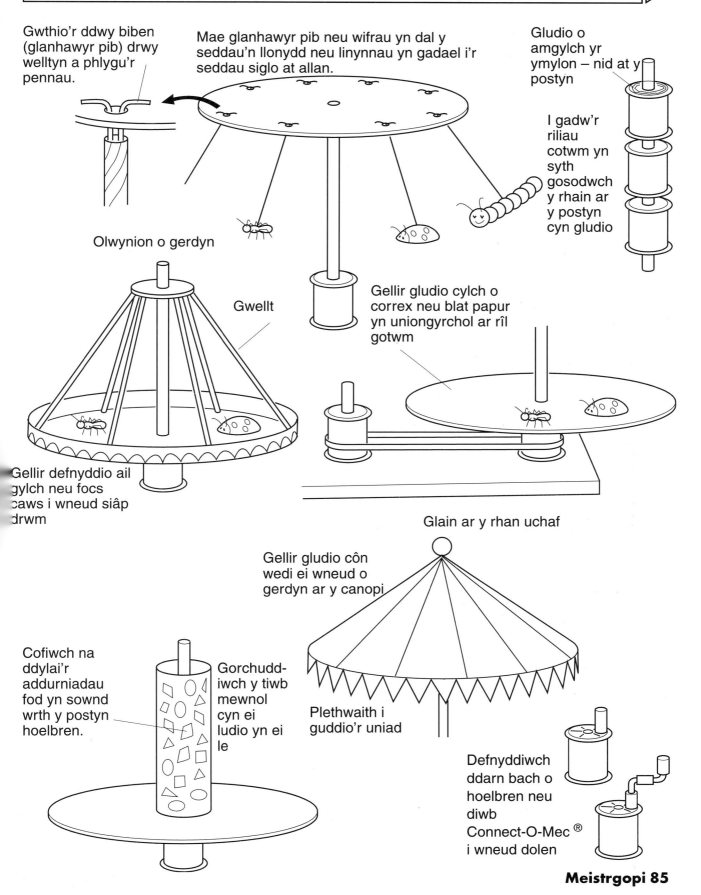

Gwthio'r ddwy biben (glanhawyr pib) drwy welltyn a phlygu'r pennau.

Mae glanhawyr pib neu wifrau yn dal y seddau'n llonydd neu linynnau yn gadael i'r seddau siglo at allan.

Gludio o amgylch yr ymylon – nid at y postyn

I gadw'r riliau cotwm yn syth gosodwch y rhain ar y postyn cyn gludio

Olwynion o gerdyn

Gwellt

Gellir gludio cylch o correx neu blat papur yn uniongyrchol ar rîl gotwm

Gellir defnyddio ail gylch neu focs caws i wneud siâp drwm

Glain ar y rhan uchaf

Gellir gludio côn wedi ei wneud o gerdyn ar y canopi

Cofiwch na ddylai'r addurniadau fod yn sownd wrth y postyn hoelbren.

Gorchudd-iwch y tiwb mewnol cyn ei ludio yn ei le

Plethwaith i guddio'r uniad

Defnyddiwch ddarn bach o hoelbren neu diwb Connect-O-Mec ® i wneud dolen

Meistrgopi 85

Cynllun 'ceffylau bach'

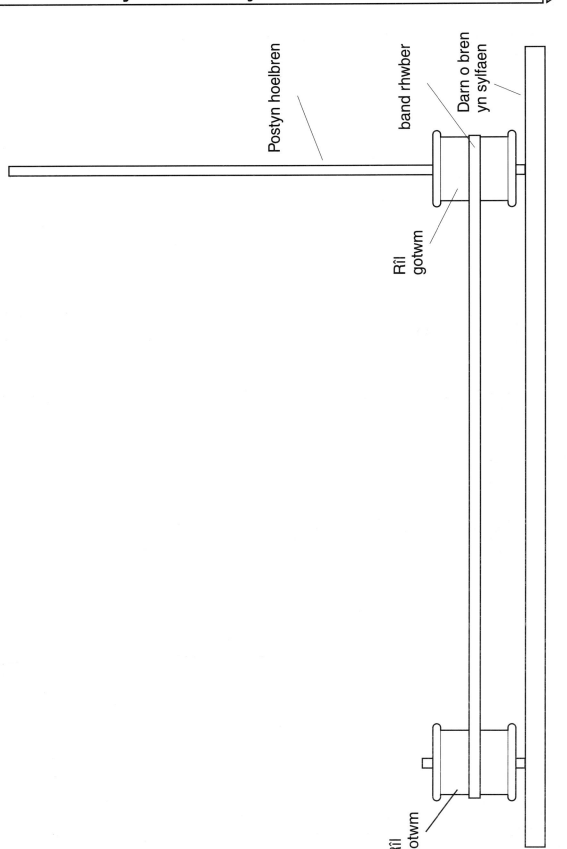

Postyn hoelbren

band rhwber

Darn o bren yn sylfaen

Rîl gotwm

Rîl gotwm

Gêr

Labelwch bob diagram i ddangos a yw'r olwynion yn B yn troi'n gyflymach, yn arafach neu ar yr un cyflymder â'r olwynion yn A.

1. A   B

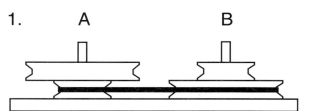

2. A   B

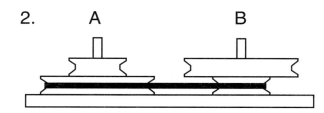

3. A   B

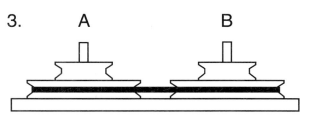

4. A   B

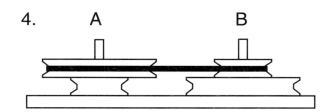

Labelwch bob un o'r diagramau hyn i ddangos a yw'r olwynion yn C yn troi'n gyflymach, yn arafach neu ar yr un cyflymder â'r olwynion yn A.

5. A   B   C

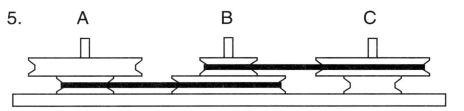

6. A   B   C

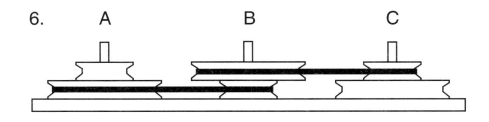

7. A   B   C

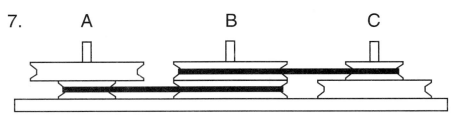

Mathau o lythrennau

A B C Ch D Dd E F Ff G Ng H I J L
Ll M N O P Ph R Rh S T Th U W Y
a b c ch d dd e f ff g ng h i j l ll
m n o p ph r rh s t th u w y

ABCChDDdEFFfGNgHI

A B C Ch D Dd E F Ff G Ng H I J L
Ll M N O P Ph R Rh S T Th U W Y

A B C Ch D Dd E F Ff G Ng H I J L
Ll M N O P Ph R Rh S T Th U W Y

A B C Ch D Dd E F Ff G Ng H I J L
Ll M N O P Ph R Rh S T Th U W Y

A B C Ch D Dd E F Ff G Ng H I J L
Ll M N O P Ph R Rh S T Th U W Y

ABCChDDdEFFfGNgHIJLLlMNOPPhRRhSTThUWY
a b c ch d dd e ff g ng h i j l ll m n o p ph r rh s t th u w y

Mwy o lythrennau

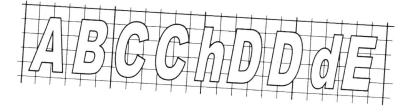

ABCChDDdE

ABCChDDd

ABCChDDdE

ABCChDDdE

Arwyddion ar siopau

 gw**i**n

 **P**izza

CIGYDD

 siop wlân

chwarae**o**n

hufen **i**â

GWYL_AU

Sut i wneud 'cam-glown' 1

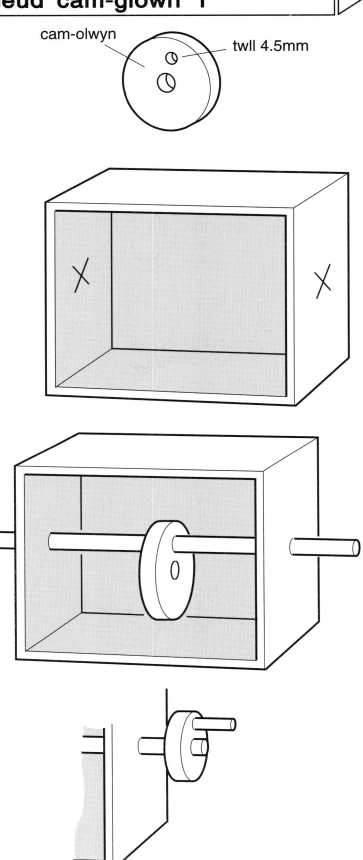

cam-olwyn   twll 4.5mm

1. Drilio twll 4.5mm mewn olwyn MDF 50mm – ond nid yn y canol.

2. Mesur lled eich bocs a thorri darn o hoelbren 4.5mm fydd 3 cm yn hwy, i wneud echel.

3. Mesur a marcio dau smotyn yng nghanol y ddwy ochr i'r bocs. Gofalwch eu bod gyferbyn â'i gilydd.

4. Gwneud tyllau yn ochrau'r bocs gyda dril papur a gosod yr echel y tu mewn.

5. Gofalu bod yr echel yn mynd drwy'r twll, sydd heb fod yn y canol, ac yna gludio'r olwyn yn sownd wrth yr echel.

6. Torri darn o hoelbren 2cm a'i wthio drwy'r twll yn yr olwyn.

7. Gludio'r olwyn lai wrth un pen i'r echel i ffurfio dolen. Gludio darn o diwb plastig neu roi glain ar ben arall yr echel i weithredu fel stop.

Sut i wneud 'cam-glown' 2

8. Torri darn o hoelbren yr un hyd â'r pellter rhwng top y bocs a'r echel (x) gan ychwanegu 10cm.

9. Gludio olwyn MDF 50mm wrth un pen, gan roi'r hoelbren drwy'r twll canol.

10. Gwneud twll yng nghanol top y bocs, yn union uwchben yr olwyn.

    Gwthiwch y dilynwr i fyny drwy'r twll fel ei fod yn gorwedd ar yr olwyn.

11. Gwiriwch symudiad y dilynwr ac os yw'n sigledig, rhowch rîl gotwm dros yr hoelbren a'i gludio ar ben y bocs.

12. Tynnwch lun amlinell wyneb clown ar gerdyn tenau. Rhaid iddo fod o leiaf yn 10 cm o uchder. Torrwch drwy ddau drwch o gerdyn i wneud dau ben clown.

13. Addurnwch y ddwy ochr i wneud iddynt edrych fel wyneb a chefn pen clown. Gosodwch y goes/gwerthyd rhwng y ddau ddarn o gerdyn a'u gludio.

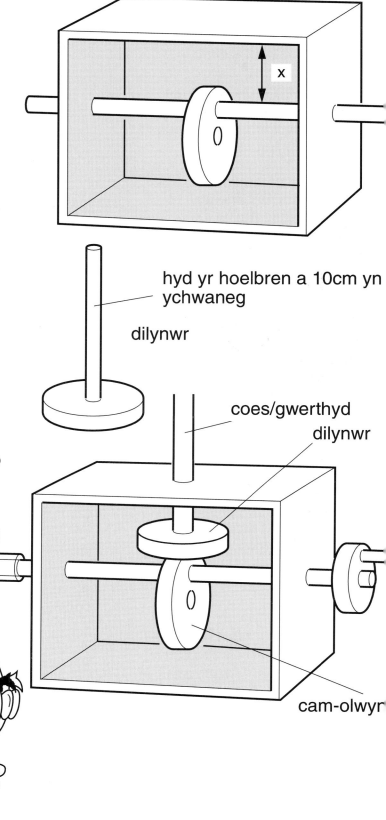

hyd yr hoelbren a 10cm yn ychwaneg

dilynwr

coes/gwerthyd

dilynwr

cam-olwyn

Sut i wneud 'creadur camdro' 1

Dilynwch y camau hyn:

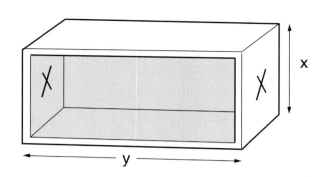

1. Gwneud dau dwll yn ochrau bocs gyda dril papur. Sicrhau bod y ddau dwll union gyferbyn â'i gilydd.

2. Torri darn o wifren 10cm yn hwy na'r bocs (y + 10 cm)

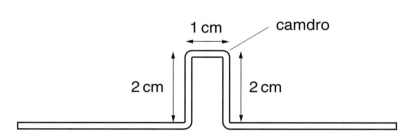

3. Marcio a phlygu canol y wifren gan ddefnyddio gefelen (gweler y llun).

4. Torri darn o diwb plastig 5mm o hyd a gwneud twll drwy un pen gyda pwns cylchdro.

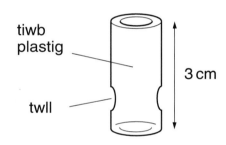

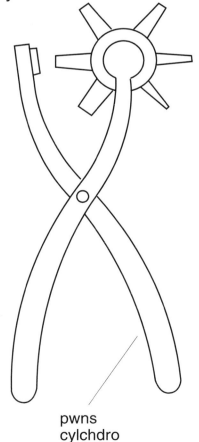

pwns cylchdro

5. Gwthio'r wifren drwy un ochr i'r bocs ac yna drwy'r twll sydd yn y tiwb plastig a thrwy'r ochr arall i'r bocs.

6. Tacluso pennau'r wifren, os oes angen, a rhoi glain ar bob pen.

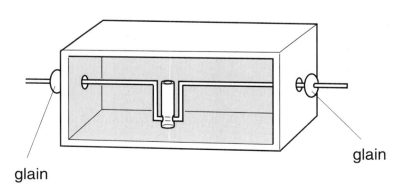

glain

glain

Sut i wneud 'creadur camdro' 2

Dilynwch y camau hyn:

7. Torri darn o hoelbren, 4.5mm o hyd yr un uchder â'r bocs

8. Drilio twll yn y canol ar dop y bocs, yn union uwchben y camdro. Gwthio'r hoelbren drwy'r twll ac i mewn i'r tiwb plastig. Gludio'r hoelbren yn sownd os oes angen.

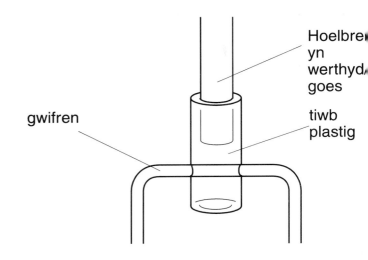

9. Profi'r mecanwaith ac os nad yw'r gwerthyd yn symud, torri hollt hirach ar dop y bocs o'r blaen i'r cefn.

10 Tynnu llun siâp anifail ar gerdyn tenau. Torri drwy ddau ddarn o gerdyn i wneud dau siâp anifail.

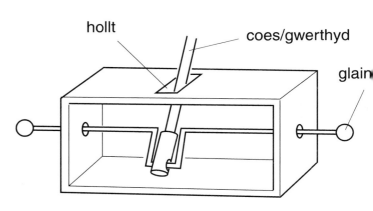

11. Addurno'r siapiau i wneud iddyn nhw edrych fel pen blaen a phen ôl yr anifail. Gludio'r rhain ar yr hoelbren fel bod y goes/gwrthyd rhwng y ddau ddarn o gerdyn.

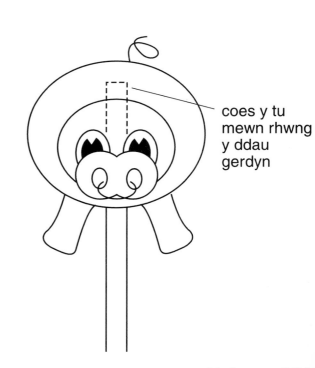

Cyfarwyddiadau ar sut i gasglu offer i wneud bwystfil bychan

Cynnwys:

1.	2.
3.	4.
5.	6.

Enw _____

Annwyl — _____,

I'r project Dylunio a Thechnoleg yn ystod y tymor hwn byddaf yn gwneud

_____

Bydd angen i mi fynd â

_____

_____

_____

_____

Dychwelwch y ffurflen isod, os gwelwch yn ddda, os y gallwch ddarparu'r defnyddiau y bydd arnaf eu hangen.

Diolch i chi am fy helpu,

Enw'r disgybl _____ Dyddiad _____

Gallaf ddarparu'r defnyddiau y bydd ar fy mhlentyn eu hangen.

Arwyddwyd _____

Llythyr at rieni 2

Annwyl Rieni,

Fel rhan o'n project Dylunio a Thechnoleg, bydd Dosbarth ———— yn gwneud ——————————————————————

Buasem yn ddiolchgar pe gallech gyfrannu —————— yn wirfoddol i'n helpu i dalu am y defnyddiau y bydd arnom eu hangen.

Dychwelwch y ffurflen isod, os gwelwch yn dda, gydag unrhyw gyfraniad.

                                        Yr eiddoch yn gywir,

Enw'r disgybl ———————————— Dyddiad ————

Rwy'n amgau cyfraniad gwirfoddol o —————— i dalu am ddefnyddiau.

Arwyddwyd _____

Llythyr at rieni 3

Annwyl Rieni,

Fel rhan o'n rhaglen Technoleg Bwyd, bydd Dosbarth ————— yn cynnal profion bwyd ar————————, pan fyddwn yn profi'r bwydydd a ganlyn:

_____

_____

_____

Cwblhwelwch y ffurflen isod, os gwelwch yn dda, neu cysylltwch â'r ysgol, os oes gan eich plentyn unrhyw anghenion diet arbennig neu os hoffech gael gwybodaeth bellach ynglŷn â'r gweithgaredd hwn.

Yr eiddoch yn gywir,

✂ -

Enw'r disgybl ——————————————— Dyddiad ————————

Rwy'n amgau cyfraniad gwirfoddol o ——————————— i dalu am gost y cynhwysion.

Arwyddwyd _____

Llythyr at rieni 4 ▷

Annwyl —————————,

Byddaf yn cael gwers Technoleg Bwyd ar ————————————
a byddaf yn gwneud ————————————————

Os gwelwch yn dda a allech chi wneud cyfraniad gwirfoddol o
———————————————— tuag at y gost am y cynhwysion.

Cysylltwch â'r ysgol, os oes gennyf unrhyw anghenion diet arbennig
neu os hoffech gael gwybodaeth bellach ynglŷn â'r gweithgaredd hwn.

Diolch i chi am fy helpu,

- -

Enw'r disgybl ————————————— Dyddiad ————————

Anghenion diet arbennig:————————————————————.

Arwyddwyd _____

Llythyr at rieni 5

Annwyl ———————,

Byddaf yn cael gwers Technoleg Bwyd ar ——————————————

a byddaf yn gwneud ————————————————————

Bydd angen i mi fynd â

————————————————————————————————

————————————————————————————————

————————————————————————————————

Byddaf yn bwyta'r bwyd yn yr ysgol.

Dychwelwch y ffurflen isod, os gwelwch yn dda, os y gallwch ddarparu'r cynhwysion y bydd arnaf eu hangen.

Diolch i chi am fy helpu,

Enw'r disgybl ——————————————— Dyddiad —————

Rwy'n gallu darparu'r cynhwysion y bydd ar fy mhlentyn eu hangen.

Arwyddwyd _____

Poster Dylunio a Thechnoleg

Allwch
chi
helpu?

Ar gyfer ein gwaith Dylunio a Thechnoleg y tymor hwn bydd arnom angen y rhain:

_____

_____

_____

_____

_____

_____

Os gallwch ein helpu, os gwelwch yn dda, siaradwch â:

_____

_____

_____

Enw _____

Syniadau ar gyfer project

<table>
<tr>
<td rowspan="2">Syniadau cychwynnol ar gyfer y dylunio</td>
<td></td>
<td></td>
</tr>
</table>

Syniadau cychwynnol ar gyfer y dylunio		
Project		

Enw _____

Cynllun terfynol

Cynllun terfynol

Project

Taflen gynllunio

Tasg:

Offer:	Defnyddiau:
Offer arall:	
Cam 1:	Cam 2:
Cam 3:	Cam 4:
Cam 5:	Cam 6:

Taflen adnoddau

Tasg:

Offer fydd arnaf ei angen:	Defnyddiau y bydd arnaf eu hangen:

Llifluniad

Taflen werthuso

Tasg:

Pethau a gefais yn hawdd:	Pethau oedd yn anodd:
Pethau newydd a ddysgais:	**Pethau y gallwn eu gwella:**

Cysylltu

Dyma rai dulliau i gysylltu pethau â'i gilydd:

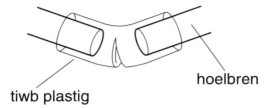

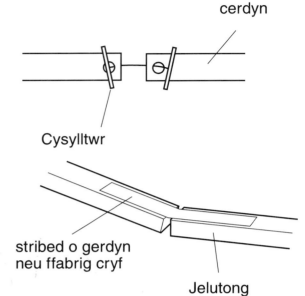

cerdyn

hoelbren

tiwb plastig

Cysylltwr

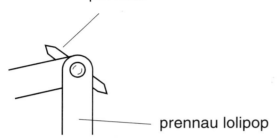

pin hollt

prennau lolipop

stribed o gerdyn
neu ffabrig cryf

Jelutong

Pa un o'r dulliau hyn fyddech chi
yn ei ddefnyddio i gysylltu:

a) dau ddarn o ffabrig?

b) dau ddarn o gerdyn?

c) dau ddarn o bapur?

ch) dau ddarn o wifren drydanol?

d) llun a hysbysfwrdd?

dd) triongl o gerdyn a ffrâm bren

e) poster a wal

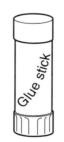

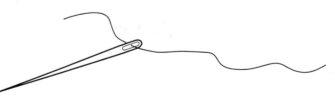

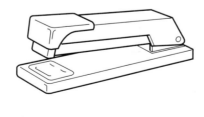

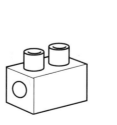

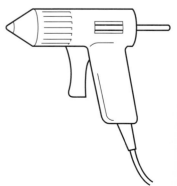

Gyda'i gilydd am byth

Lliwiwch yn goch y dulliau cysylltu sy'n golygu eu bod yn *barhaol* – wedi eu cysylltu am byth.

Lliwiwch yn las y rhai sydd wedi eu cysylltu *dros dro* – gellir eu tynnu yn rhydd oddi wrth ei gilydd a'u rhoi yn ôl at ei gilydd eto heb ddifetha'r defnyddiau.

Torri

Tynnwch linell o bob darn o offer at y defnydd y byddech chi yn ei ddefnyddio arno.

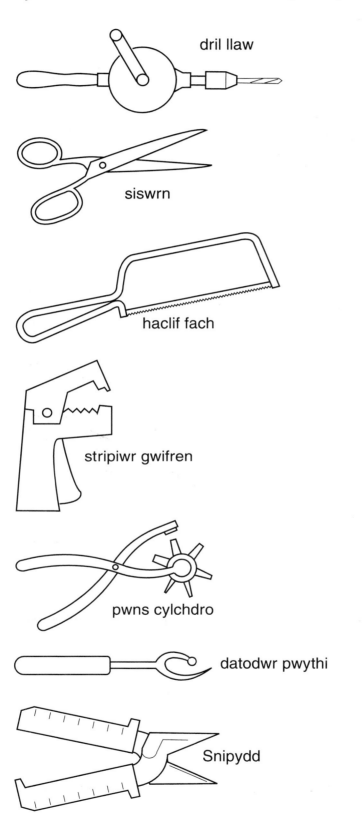

dril llaw

siswrn

haclif fach

stripiwr gwifren

pwns cylchdro

datodwr pwythi

Snipydd

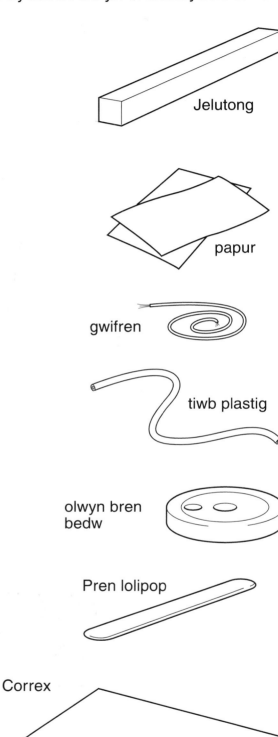

Jelutong

papur

gwifren

tiwb plastig

olwyn bren bedw

Pren lolipop

Correx

Offer technoleg 1

Ysgrifennwch enwau'r darnau hyn o offer o dan bob llun.

1. _____

2. _____

3. _____

4. _____

5. _____

6. _____

7. _____

8. _____

9. _____

Ar ddarn arall o bapur, ysgrifennwch frawddeg am bob darn o offer i egluro pa ddefnydd gaiff ei wneud ohono.

Offer technoleg 2

Cysylltwch yr enwau gyda'r lluniau cywir.

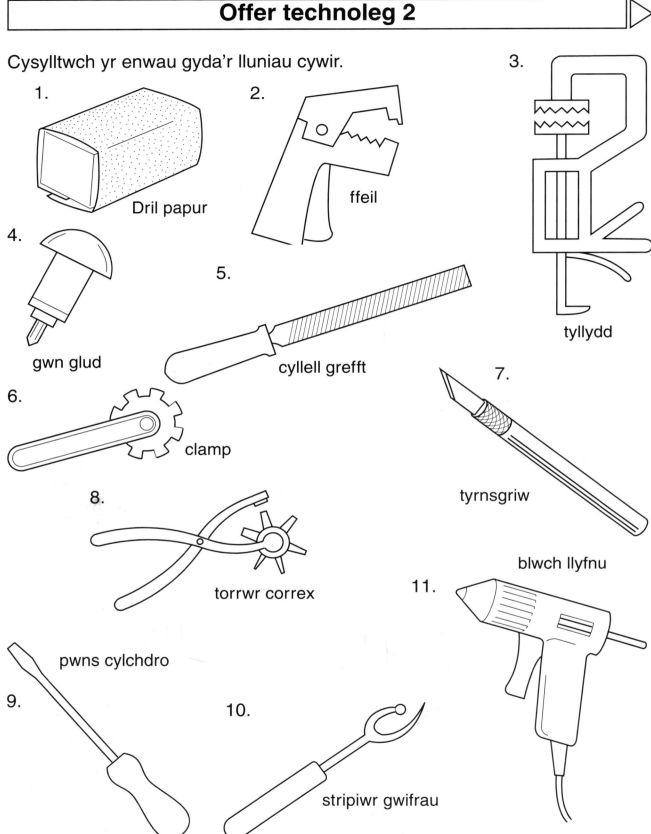

1. Dril papur

2. ffeil

3. tyllydd

4. gwn glud

5. cyllell grefft

6. clamp

7. tyrnsgriw

8. torrwr correx

blwch llyfnu

11.

pwns cylchdro

9.

10. stripiwr gwifrau

Ar ddarn arall o bapur ysgrifennwch frawddeg am bob darn o offer i egluro pa ddefnydd gaiff ei wneud ohono.

Cysgodluniau o Offer

Ysgrifennwch enw pob darn o offer wrth ochr ei gysgodlun.

1.

2.

3.

4.

5.

6.

7.

8.

9.

10.

11.

12.

13.

14.

Chwilair

Chwiliwch am y geiriau sydd yn y rhestr yn y chwilair. Edrychwch ar draws, ar i lawr ac i fyny, yn groes neu ar yn ôl.

e.e.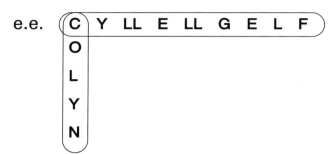

CYLLELL GELF
CLAMP
FFEIL
GWN GLUD
HACLIF
MORTHWYL
NODWYDD
DRIL PAPUR
PINNAU
TYLLYDD
GEFELEN
PWNS
PREN MESUR
TYRNSGRIW
SISWRN
SNIPYDD
STYFFYLWR
RHIDYLL
GRATUR
CLORIAN
EBILL
LLIF
BWYELL
DRIL LLAW
COLYN
RHOLBREN
TORRWR GWIFRAU

P	I	N	N	A	U	D	U	L	G	N	W	G
DD	RH	S	N	W	P	R	F	N	Y	L	O	C
Y	O	R	H	N	A	I	R	O	L	C	P	G
P	L	FF	E	I	L	L	B	W	Y	E	LL	E
I	B	O	L	C	Y	LL	E	LL	G	E	L	F
N	R	M	A	O	T	A	P	M	A	L	C	E
S	E	H	W	L	Y	W	TH	R	O	M	U	L
A	N	S	T	Y	R	N	S	G	R	I	W	E
G	P	R	E	N	M	E	S	U	R	F	T	N
R	B	U	LL	Y	D	I	RH	T	Y	LL	Y	DD
A	C	F	I	LL	S	T	Y	FF	Y	L	W	R
T	O	R	R	W	R	G	W	I	F	R	A	U
U	T	D	R	I	L	P	A	P	U	R	N	L
R	S	N	O	D	W	Y	DD	N	LL	I	B	E

Meistrgopi 114

Tystysgrif – Dylunio a Thechnoleg ▷

TYSTYSGRIF
DYLUNIO A THECHNOLEG
cyflwynwyd i

Arwyddwyd

Dyddiad

Enw ____________________

Clawr

Portffolio Dylunio a Thechnoleg

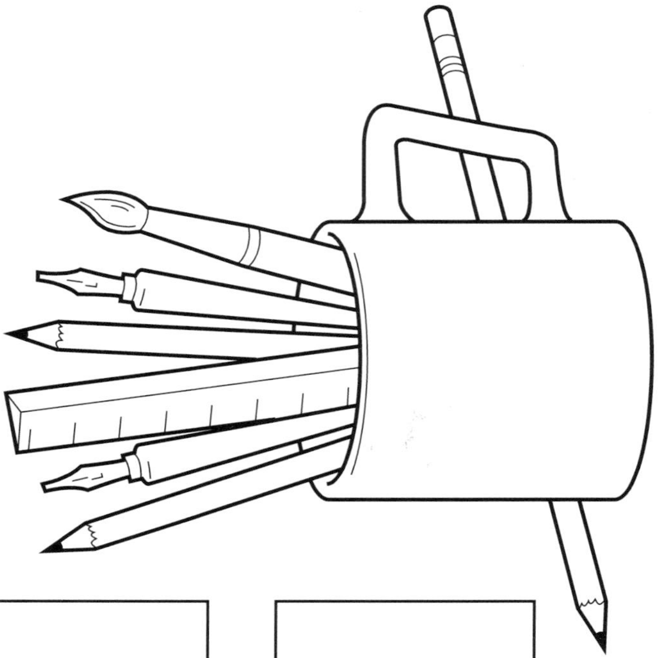

Project:

Enw:

Enw _____

Papur isomedrig ▷

Cynllunio rhestr wirio ▷

Cynllunio rhestr wirio Blwyddyn:			
Defnyddiau			
Uned 1: Defnyddio Llenddefnyddiau			
Uned 2: Fframweithiau			
Uned 3: Defnyddiau y gellir eu moldio			
Uned 4: Tecstiliau			
Uned 5: Bwyd			
Uned 6: Rheoli Trydan			
Uned 7: Liferi			
Uned 8: Olwynion ac Echelau			
Uned 9: Gêr/Pwli			
Uned 10: Camiau a Chranciau			
Dylunio			
defnyddio gwybodaeth i'w helpu i ddylunio trafod syniadau am ddefnyddwyr a diben			
egluro syniadau, datblygu meini prawf ac awgrymu'r ffordd ymlaen			
ystyried ymddangosiad, diben, diogelwch a dibynadwyedd			
astudio, datblygu a sôn am agweddau ar ddylunio drwy fodelu eu syniadau mewn amryw ddulliau			
datblygu syniad clir am ddilyniant a dulliau eraill o weithredu			
gwerthuso syniadau gan gofio'r defnyddiwr a'r diben			
Gwneud			
dewis defnyddiau addas, offer a thechnegau			
mesur, marcio, torri a siapio ystod o ddefnyddiau, gan ddefnyddio offer a thechnegau eraill			
uno a chyfuno defnyddiau a chydrannau			
ychwanegu technegau gorffen			
cynllunio sut i ddefnyddio defnyddiau, offer a phrosesau ac awgrymu dulliau eraill			
gwerthuso eu cynnyrch gan adnabod cryfderau a diffygion a chynnal profion			
gweithredu ar welliannau a awgrymwyd			
Gwybodaeth a dealltwriaeth			
sut y mae nodweddion defnyddiau yn berthnasol i'r defnydd a wneir ohonynt			
sut y gellir cyfuno a chymysgu defnyddiau i greu priodweddau mwy defnyddiol			
sut y gellir defnyddio mecanweithiau syml i greu symudiadau gwahanol			
sut y gellir defnyddio cylchedau trydanol			
sut y gall adeileddau fethu a thechnegau ar sut i'w cyfnerthu a'u cryfhau			
archwilio a dadosod a gwerthuso cynnyrch syml a chymwysiadau			
perthnasu'r modd y mae pethau'n gweithio â'u diben			
gwahaniaethu rhwng pa mor dda y mae cynnyrch wedi ei wneud a'r dyluniad			
ystyried effeithiolrwydd cynnyrch			
gwybodaeth am iechyd a diogelwch			
defnyddio'r eirfa briodol			